10|18

12, avenue d'Italie — Paris XIIIe

Sur l'auteur

Jørn Riel, né en 1931 au Danemark, passe toute son enfance à entendre les récits de voyages de Knud Rasmussen et de Peter Freuchen. C'est là, au domicile familial, à Copenhague, qu'il se construit son imaginaire. En 1950, Jørn Riel s'engage dans les expéditions du docteur Lauge Koch pour le nord-est du Groenland et y reste seize ans. Il en rapporte une bonne vingtaine d'ouvrages. Son œuvre est dédiée pour une part à Paul-Émile Victor — les deux hommes se sont côtoyés sur l'île d'Ella —, pour l'autre à Nugarssunguaq, la petite-fille groenlandaise de Jørn Riel. Elle est d'abord constituée de la série des « Racontars arctiques », suite de fictions brèves ayant toujours pour héros les mêmes trappeurs du Nord-Est groenlandais amoureux de cet être cruellement absent de la banquise : la femme, puis de deux trilogies — « La Maison de mes pères » et « Le chant pour celui qui désire vivre ». Après *La Faille,* dont l'action se situe chez les Papous de Nouvelle-Guinée, retour au Groenland pour sa dernière trilogie, « Le Garçon qui voulait devenir un être humain », parue en novembre 2002 aux Éditions Gaïa. Jørn Riel vit aujourd'hui en Malaisie, « histoire de décongeler », comme il se plaît à le dire.

UN SAFARI
ARCTIQUE
et autres racontars

PAR

JØRN RIEL

Traduit du danois
par Susanne JUUL
et Bernard SAINT BONNET

10 **18**

« *Domaine étranger* »
dirigé par Jean-Claude Zylberstein

GAÏA ÉDITIONS

Titre original :

En arktisk safari og andre skrøner

© Jørn Riel, Lademann, Copenhague, 1976.
© Gaïa Éditions, 1994
pour la traduction française.
ISBN 2-264-02293-0

A Paul-Émile Victor...

« ... qui a, plus que tout autre, œuvré à poser le Groenland et l'Arctique sur la carte française du monde. »

Le bruant des neiges

... où le tout neuf bachelier Anton rencontre pour la première fois les héros polaires, découvre les charmes de la longue nuit arctique et pose ses valises...

Être seul. Tout seul sur une côte pratiquement dépourvue d'hommes, isolé du reste du monde. Ne dépendre que de sa propre habileté, de sa propre volonté, être à la fois son seul maître et valet ; tout cela n'était probablement pas tout à fait clair pour Anton Pedersen quand il avait postulé un emploi de chasseur au bureau de la Compagnie. Parce qu'Anton n'avait encore que dix-neuf ans et bien autre chose dans la tête. Son monde arctique à lui était peuplé de héros polaires, d'hommes indomptables dans des fourrures énormes, d'hommes qui s'acharnaient au péril de leur vie à remplir les nombreuses taches blanches sur les cartes. Son Groenland à lui, c'était de longs voyages derrière des chiens glapissants tirant le traîneau, de fabuleuses chasses à l'ours et au morse, des rencontres merveilleuses avec des Eskimos intacts et une camaraderie

9

sans faille qui liait les hommes de l'expédition jusqu'aux frontières du pays de la mort. Anton souhaitait ardemment devenir un pionnier de cette envergure.

Le Groenland était grand. Il y restait encore des zones inexplorées. « Mais le temps presse, pensait Anton, et les taches blanches fondent à toute vitesse. » C'est pourquoi il lui tardait de partir. Toutefois, il n'avait rien d'autre à montrer qu'un baccalauréat fraîchement passé et quelques médailles d'argent d'une académie de chasse ; et c'est pourquoi il dut rapidement réaliser que, dans son cas à lui, seules deux routes pouvaient le mener en Arctique : soit il appareillait vers la côte ouest du Groenland avec la Royale de Commerce Groenlandais, soit il partait pour l'est du Groenland en tant que chasseur. A vrai dire, l'ouest ne le tentait pas tellement. Là, il pourrait, certes, trouver un emploi d'assistant commercial, mais l'aventure deviendrait une perspective lointaine. Le travail serait certainement aussi ennuyeux que le titre et, selon lui, presque humiliant pour un philosophe en herbe. Raison pour laquelle il choisit la Compagnie. En tant que chasseur, il pourrait sûrement mener une vraie vie de héros polaire. Il ferait de longues tournées de chasse en traîneau dans le grand désert blanc, et d'après ce que le directeur de la Compagnie lui avait fait comprendre, son existence prendrait à peu près l'allure de celle des anciens explorateurs. Anton Pedersen devint donc chasseur. Il avait du courage, une bonne tête, et il était frais comme le dedans d'une noisette.

Le début de son aventure arctique se fit prometteur. La traversée de l'Atlantique sur le rafiot de chasse au phoque, la *Vesle Mari*, correspondait tout à fait à ses rêves les plus fous. L'équipage était constitué de vieux routiers des Glaces de l'Ouest, et le capitaine Olsen racontait tous les soirs, au mess, des tas d'histoires, dès que le mousse avait sonné huit heures. En fait, Olsen avait une colossale réserve d'histoires. Il naviguait dans les glaces depuis l'âge de douze ans et pouvait, disait-il, voir d'un bloc de glace à la dérive s'il venait du Bassin du Pôle de la mer de Kara, de l'est du Groenland ou de n'importe quel autre endroit. Olsen était capable aussi de flairer le grand large et pouvait déterminer la position du bateau simplement en goûtant l'eau de mer, à ce qu'il disait.

Le soir, un rhum sirupeux était servi dans de minces fioles de terre cuite brune à la table du mess et l'on fumait un tabac fort et noir, dans des pipes à la tête usée. Anton était assis sur le banc, le dos contre la cloison vibrante. Il écoutait, et rigolait, et tapait du poing sur la table : c'était un fameux gaillard. De temps à autre la fumée et le rhum lui restaient en travers de la gorge et Olsen devait lui taper dans le dos, histoire de le débarrasser de ses quintes de toux.

Quand, aux petites heures après minuit, le capitaine allait se coucher, Anton montait sur le pont et s'accoudait au bastingage. Il respirait l'odeur rance du lard suspendu au-dessus du rafiot, et vomissait son rhum, l'abandonnant à la mer houleuse. Une fois délesté de sa beuverie de la soirée, il essuyait la sueur sur son front et s'asseyait, un peu atone, sur la bitte la plus proche et regardait la mer. La nuit nordique était claire et magique. Il trouvait à la mer un air encore plus infini la nuit, et avait le sentiment qu'une parcelle de toute cette éternité se déplaçait pour venir s'installer dans son esprit. Assis sur la bitte, Anton s'abandonnait. Absorbé par la mer immense sans même s'en rendre compte, il montait et descendait au gré de la houle sans savoir d'où il venait, où il allait. Anton était purgé de toute pensée, dans l'ivresse légère du rhum du capitaine Olsen et de la nuit claire. Dans ces moments-là, Anton était plus proche de lui-même qu'il ne l'avait jamais été auparavant. Sans le déguisement dont ses rêves avaient voulu l'habiller, en dehors du monde si souvent imaginé qui l'entourait maintenant et tout proche de ce qui est presque inaccessible : la lucidité. Ses sens tournés en lui-même, il restait là, assis, complètement insensible au monde extérieur. De cet état supérieur il glissait presque toujours dans un sommeil profond et sans rêve. Quand la *Vesle Mari* eut atteint les glaces dérivantes, Anton avait le sentiment d'avoir passé la plus grande partie de sa vie sur un rafiot de chasse au phoque. Il avait tellement entendu parler de la glace qu'en la voyant il la salua avec des hochements de tête et un sentiment de déjà-vu. Le capitaine Olsen était dans le nid-de-pie, flairant l'air de son long nez violet. Il faisait glisser le rafiot dans des sillons de mer libre, se frayait un chemin vers des clairières plus importantes, faisait marche arrière, tournait, manœuvrait et avançait ferme vers l'ouest. Anton était suspendu à l'échelle de fer un mètre au-dessous du nid-de-pie, se constituant un stock de mots de circonstance grâce aux jurons appropriés que le capitaine Olsen laissait pleuvoir sur l'homme de barre du haut de la vigie.

Le point culminant du voyage, ce fut le jour où l'on cria terre en vue. Cela se passa tôt un matin, alors qu'Anton était en train de prendre son café au mess. Le cri fusa de l'homme de vigie, prit du volume avec l'homme de barre et frappa Anton par la porte ouverte. Il sortit comme un boulet de canon, traversa le pont et grimpa dans le nid-de-pie.

Là-bas, la terre. Là-bas, des montagnes gigantesques dressant leurs pics dentés vers le ciel. Là-bas, l'énorme couverture de glace, les glaciers bleu foncé, les lacs étincelants et les longs fjords noirs. A cette occasion, Anton mit à profit quelques mots récemment appris pour réprimer une émotion que le capitaine Olsen aurait pu facilement mal interpréter.

Tout se passa on ne peut mieux pour Anton jusqu'à la cabane de Fimbul. Mais ici la réalité s'abattit comme une lourde couette sur ses rêves. Anton, bien entendu, avait imaginé des tas de choses sur une station de chasseurs, et il s'était fait de beaux clichés de la maison et des environs. Or ici, à Fimbul, il découvrit un certain nombre de choses qu'il avait omis de prendre en considération. D'abord le froid. Un brouillard épais était suspendu aux parois de la montagne de Fimbul comme un crêpe de deuil gris, et l'air cru et humide vous glaçait jusqu'aux os. Puis un autre fait lui sauta aux yeux, c'était l'incroyable saleté. Anton avait toujours cru que la terre, la mer et l'air propres aux pays polaires étaient purs et vierges. Mais quand il monta de la plage vers la maison, il découvrit avec stupeur que le terrain, aussi loin que portait le regard à travers le brouillard, était parsemé de boîtes de conserve rouillées, de caisses d'emballage cassées, de merdes de chiens grisonnant depuis ces dernières décennies, de scories et de cendres de la cuisinière.

Le portrait que, d'une main sûre, Anton s'était brossé du chef de station avant son départ se trouvait être, lui aussi, complètement faux. Valfred n'était pas un vrai héros polaire, aux yeux d'Anton. C'était un personnage vieux et malodorant qui, lorsqu'il ne tournait pas en rond en parlant tout seul, ronflait dans la couchette supérieure. Il était, certes, gentil et serviable, mais manquait tout à fait d'envergure, selon Anton. Rien de ferme ni d'indomptable dans les yeux chassieux de Valfred, pas la moindre trace d'énergie ni de force de volonté. Le vieil homme traînait, délabré et crasseux à l'instar de la cabane qu'il habitait, et Anton voyait en lui un déshonneur pour la Compagnie.

Au début, Anton pensait que Valfred et la cabane de Fimbul constituaient une exception sur la côte. C'était avant de rencontrer d'autres chasseurs et de visiter d'autres stations de chasse. Il s'accrocha à son rêve et se consola à l'idée que le séjour à Fimbul devait être une épreuve que la plupart des héros polaires avaient à subir. Avec la bénédiction de Valfred il fit le ménage autour de la maison, menuisa, d'après les instructions, des pièges à renards, et commença à faire des marches d'approche vers les chiens qui seraient ses aides et compagnons quand il partirait, bientôt, pour de grands voyages. Anton ne manquait pas de courage. Il était en Arctique, avec un contrat de deux ans, avait de la patience à revendre et ne doutait pas que tout irait bien. Mais quelques mois après son arrivée, il commença à changer. Imperceptiblement, pour Valfred tout comme pour lui-même. Il continua d'être un jeune homme cordial qui faisait son travail de manière irréprochable. Mais il devint un peu plus taciturne, un peu plus renfermé et se transforma, petit à petit, en une présence pas le moins du monde distrayante pour son compagnon. Mais Valfred ne remarqua rien. Lui, il hibernait et se portait à merveille. Tant que le jeune homme s'occupait de l'outillage, il était bien content. Anton était un bleu sur la côte et manquait de routine. Et la routine ne s'installe que si l'on fait les mêmes choses, jour après jour. En laissant ainsi toutes les tournées de pièges à Anton, Valfred se comportait en maître digne de ce nom. Il avait tout expliqué soigneusement, avait personnellement participé aux premières tournées et avait demandé, surtout, à être réveillé s'il arrivait quelque chose qu'Anton ne pouvait résoudre tout seul.

L'hiver passa de manière acceptable pour Anton. Il s'occupait de ses pièges. Tout au plus souffrait-il de temps en temps de sautes d'humeur, quand il rentrait à la cabane de Fimbul. Avec Valfred, il fit plusieurs voyages de visite à ceux de Bjørkenborg et à Herbert, à Guess Grave, et ces voyages le firent vivre pendant des semaines. Et puis, le premier halo de lumière se manifesta vers le sud. Et c'est alors qu'il commença à languir. D'abord après les femmes, ce qui était naturel, et ensuite après ses rêves, qu'il n'arrivait plus vraiment à faire revenir. Un jour ressemblait à l'autre. De longs voyages aux pièges dans le froid, toujours le même boulot. Enlever la neige autour des pièges à coups de pelle, les remettre debout, attacher l'appât à la trappe, fourrer le renard dans le sac à dos, et en route pour le piège suivant. Des nuits glaciales sous la tente ou dans une cabane de chasse, du café et des galettes de riz, sortir de son sac de couchage dans le noir, voyager d'un bout à l'autre d'une journée sombre, monter la tente dans l'obscurité, s'endormir dans l'obscurité, cette éternelle obscurité.

Ce n'est en fait qu'au retour de la lumière qu'Anton prit conscience de la nuit polaire. Et à la cabane de Fimbul tout devint plus ennuyeux que jamais. L'agaçant ronflement de Valfred, le dépouillage des renards, les peaux à étendre sur des planches, à sécher au-dessus de la cuisinière, la cuisine à faire, les attaches des chiens à réparer et puis dormir. Le rêve d'Anton de devenir un héros polaire n'était plus alimenté. Il restait pendant des heures à regarder les vitres noires et vides, à se sentir seul et misérable, et au bout du compte, il avait envie de pleurer. Ce fut une période difficile pour lui parce qu'il ne pouvait pas vivre sans illusions. Il n'arrivait pas à admettre que la vie en Arctique n'était pas découverte permanente comme la vie qu'il avait connue jusqu'alors. Il avait, bien sûr, appris à chasser, à dépouiller, à courir derrière les chiens et à préparer des galettes de riz. Des choses simples et faciles, une fois qu'on en avait fait l'apprentissage. Mais il n'avait pas compris qu'avec tout ça son éducation était faite. Il voulait davantage. Il n'arrivait pas, contrairement à Valfred, à laisser un jour suivre l'autre, et ainsi de suite jusqu'à la fin de l'année. Anton avait lu des livres, et il savait que la vie en Arctique n'était pas la vie qu'il menait maintenant. Non, la vie polaire c'était des exploits, une existence virile et dramatique dont on revenait en héros polaire accompli et radieux.

Cette simplicité était justement trop simple. Maintenir sa chaleur et manger à sa faim ne lui suffisaient plus. Ces deux choses tenaient peut-être d'autres chasseurs en vie, mais tuaient lentement Anton. Il savait qu'il devait aller à la chasse. Qu'il devait courir derrière le montant du traîneau, s'éreinter pour monter dans des vallées pleines de neige, peiner à travers des amoncellements de glace polaire, tirer, et pousser, et se battre avec le traîneau, jurer et gueuler à en perdre la voix après les chiens, poursuivre, à en cracher ses poumons, des bœufs musqués qu'il avait blessés et tirer lui-même la viande jusqu'au campement. Il savait que tout cela donnait à la fois de la chaleur et de quoi manger, et que ça constituait un travail. Mais il savait aussi que c'était un travail pour d'autres, pas pour lui.

Il ne pouvait se résoudre à quitter ses rêves. Et même si le travail qu'il accomplissait parvenait peut-être à rivaliser avec les prestations de héros polaires d'autres époques, et même si Anton au fond pouvait au moins se compter parmi les héros polaires modestes, savoir tout cela ne l'encourageait guère. Parce que Anton voulait être vu et entendu et admiré. Et ni Valfred ni les autres chasseurs qu'il avait rencontrés, à part Herbert à Guess Grave, n'étaient à son avis des gens remarquables. Ils le regardaient avec gêne quand il expliquait comment il avait essuyé un coup de tempête en restant sous le traîneau pendant deux jours avec, pour toute provision, une tablette de chocolat de ménage, et ils se raclaient la gorge anxieusement quand il leur parlait de l'ours qu'il avait descendu à Kap Inter d'un coup de canardière. Quand il parlait, leurs gros visages rouges et stupides prenaient une expression consternée et ils avaient l'air de s'ennuyer à cent sous de l'heure. Et c'est ainsi qu'Anton en vint à se taire. C'est ce qu'il décida aussi de faire quand un jour il retournerait à Glostrup dont il était originaire. En effet, comment aurait-il pu espérer que les gens de chez lui, qui évidemment ignoraient tout de l'existence au nord de Skagen, la pointe la plus septentrionale du Danemark, comprennent quoi que ce soit à ce dont il parlait. Qu'il tente simplement d'ouvrir la bouche et on le prendrait tout de suite pour un jobard ou, dans le meilleur des cas, pour un menteur grandiloquent. Valfred tenta une fois de lui expliquer le manque d'enthousiasme de ses compagnons à l'écouter :

— Tu comprends, mon p'tit gars, dit-il, parler de ses exploits, c'est peut-être pas mal pour tuer une soirée d'hiver. Mais tant qu'à faire, vaut mieux raconter quelque chose que les autres n'ont pas vécu. Et ça, ça s'apprend avec le temps, tu piges ? Parce que les gens d'ici ont vécu la plupart des choses, tu peux me croire, va.

Heureusement, Anton avait rencontré Herbert. Cela s'était passé au cours d'une visite à la station de chasse de Guess Grave, où Valfred et Anton avaient débarqué pour voir le coq apprivoisé[1] avec lequel vivait Herbert. Depuis, ce voyage avait pris une grande importance pour Anton.

Chez Herbert, il trouva de la compréhension. Il rencontra un intellect qui communiquait à un degré acceptable avec le sien. Herbert était un autodidacte qui, tout en assumant le quotidien, avait une réflexion sur les choses. C'était le premier homme en Arctique à lui donner l'impression d'être quelqu'un, d'être même quelqu'un de tout à fait singulier. C'est pourquoi Anton, quelques mois après cette visite, devait quitter Valfred pour s'installer chez Herbert.

Cette association marcha assez bien pendant un temps. Ces deux-là pouvaient se poser des questions et se donner des réponses. Anton avait l'occasion de briller avec ses connaissances académiques et Herbert en faisait tout autant avec ses nombreuses

1. Voir « Alexandre », dans *La Vierge froide et autres racontars*, coll. 10/18, nº 2861.

années d'études à domicile. Pendant longtemps ils s'admirèrent mutuellement et les rêves d'Anton, revigorés, retrouvèrent le devant de la scène. Herbert était un homme qui comprenait vraiment — et approuvait — ce qu'un étudiant comme Anton Pedersen faisait dans le nord-est du Groenland. C'était un homme qu'un nez mordu par le gel ou un pouce gonflé par un flegmon pouvaient à la fois impressionner et inquiéter, un homme capable de féliciter sans réserve, prêt à écouter et qui avait toujours une réponse judicieuse sous la main. Oui, Anton redevint lui-même et fit à nouveau bloc avec son rêve. Pour un temps.

Il avait maintenant passé un hiver chez Valfred et un autre chez Herbert. Il avait, de son propre gré, renouvelé son contrat avec le capitaine Olsen et entamait ainsi son troisième hiver. Il se jouait à lui-même le rôle du héros polaire, à lui-même et à Herbert, et celui-ci l'admirait comme il se doit parce que c'était de toute évidence une relation intéressante et un excellent compagnon. Depuis la mort d'Alexandre, son coq, Herbert n'était pas vraiment parvenu à se réhabituer à la solitude.

Parmi les hommes expérimentés, le troisième hivernage passe pour le plus critique. Dans des conditions normales, le premier passe vite, parce que tout est nouveau et qu'il y a beaucoup à apprendre. Le deuxième ressemble assez au premier, car il reste des choses à connaître, du pays à découvrir et des chasseurs inconnus à qui rendre visite. Mais le troisième hiver devient facilement critique. On a, à ce moment-là, une si grande expérience qu'on passe presque pour une autorité, et l'on reste bien campé sur ses jambes, même sur une glace vicieuse, c'est du moins ce qu'on croit. Les jours, les semaines et les mois s'étirent en longueur parce que les événements sont, jusqu'à un certain degré, les mêmes, et qu'on prend conscience des pulsations sourdes et beaucoup trop lentes de la nuit hivernale. Les journées calmes en tournée et, par mauvais temps, les jours de labeur à la cabane suscitent un trouble presque insupportable dans tout le corps : une faim pour d'autres nourritures.

Cette faim s'installa rapidement chez Anton. Jour après jour, il sentait combien une existence trop simple et monotone s'insinuait à nouveau furtivement, et il commença à ressentir le même désespoir que celui qui l'avait envahi à l'époque où il était chez Valfred. Il devenait difficile de trouver Anton, le héros polaire, sans que Pedersen, le très banal étudiant, lui emboîte le pas. Il commençait à en avoir assez des délayages philosophiques d'Herbert, et il entendait à quel point ses propres arguments sonnaient creux. Anton devint grognon, cynique et chinois, hochant la tête et faisant la gueule pendant des jours entiers sans raison apparente.

Cela n'avait rien de nouveau pour Herbert. Il avait déjà eu affaire à des gens dans leur troisième année et pensait qu'Anton avait simplement besoin de stimulations. C'est pourquoi il proposa un petit voyage vite fait, bien fait jusque chez l'Islandais Fjordur qui habitait Hauna, là où Halvor avait autrefois bouffé Vieux-Niels. Mais Anton ne voulait pas venir. Il rechignait, et disait qu'il ne ferait pas ce voyage. Parce que Fjordur n'était qu'un imbécile comme d'ailleurs tous les autres chasseurs sur cette côte, et qu'il avait vraiment autre chose à faire que d'aller rendre visite à un tel ramassis d'idiots.

La troisième nuit polaire devint difficile pour Anton. Et maintenant qu'il n'arrivait plus à trouver ses héros du pôle, il tournait ses pensées vers la mère patrie. Il en arrivait à considérer tout ce qui relevait de l'Arctique, et plus particulièrement de l'est du Groenland, comme démoniaque, et tout ce qui touchait au Danemark comme divin. Il divisait la métropole en trois zones. Le grandiose Jutland, les îles splendides et le tout à fait extraordinaire Glostrup. Il ne pensait, parlait et rêvait que du Danemark. Le mal du pays devint une obsession. Et pour pouvoir, de manière constante, se vautrer dans la mélancolie de ses souvenirs, Anton commença à collectionner des coupures de journaux qui avaient servi d'emballage, qu'il lisait et étudiait le soir sous la lampe. Il lisait ces fragments de jours révolus avec une délectation morbide. Il se régalait avec les cotes de la Bourse, lisait avec ravissement les programmes du cinéma d'Assens un an et demi auparavant, et les vingt-six lignes d'une étude sur les céramiques étrusques n'eurent bientôt plus de secret pour lui. Il informait son compagnon de tout cela avec enthousiasme, et Herbert manifestait une bonne dose de force de caractère en hochant la tête gentiment et en trouvant cela éminemment intéressant.

Quand le papier journal s'épuisa, Anton commença à étudier les étiquettes. Sur les boîtes, les bouteilles de ketchup, les paquets de café, les pots de cornichons, les flacons de schnaps, les bocaux de betteraves rouges confites, etc. Il alignait un certain nombre de ces objets sur la table, dans la salle de séjour et lisait à haute voix. Des noms comme Ålborg, Horsens et Vejen lui donnaient l'âme légère et quand il tombait sur des patelins comme Copenhague, Roskilde et Hillerød, il rayonnait de bonheur. Une seule fois, il trouva le mot Glostrup, et là, sa voix se brisa d'émotion et ses yeux se remplirent de larmes.

Herbert souffrait en silence. Il avait, comme on l'a vu, connu plusieurs cas du vertigo de troisième année, mais jamais aucun d'une telle ampleur. Il commença à appréhender le jour où la démence allait culminer. Ce qui arriva en février.

Anton avait passé quelques heures immobile sur une chaise, devant la fenêtre, à fixer les carreaux noirs, comme un aveugle. Tout d'un coup, il se leva et se tourna vers Herbert, qui était en train de pétrir de la pâte sur la cuisinière.

— Herbert, dit-il à voix basse, j'ai quelque chose à te dire.

— Ben, vas-y, mon gars, répondit Herbert en retirant les doigts de la pâte et se tournant vers son camarade.

— Oui, commença Anton qui se racla la gorge plusieurs fois. Oui, j'ai décidé de mettre fin à tout ça, Herbert. L'existence m'est devenue insoutenable, j'en peux plus.

Herbert gratta avec gêne la barbe de son menton, se mettant du même coup plein de farine autour de la bouche. C'était probablement le noir le plus total, qu'est-ce qu'on pouvait bien y faire? On pouvait estimer que chaque individu avait le droit de régner sur sa propre vie et sa propre mort. Cela ne regardait pas les autres. C'est ce que lui, Herbert, avait toujours prétendu.

— Allons, est-ce que c'est vraiment si fâcheux... murmura-t-il vaguement.

— C'est pire, dit Anton en regardant son colocataire d'un air abattu. C'est bien pire que t'imagines. Maintenant je vais y mettre fin. Ma décision est prise.

22

Herbert haussa les épaules et recommença à pétrir son pain.

— Bon, bon, dit-il. Tu fais comme tu veux, Anton. Ce n'est pas moi qui vais te donner des conseils. C'est comme qui dirait quelque chose qui me regarde pas.

Ils restèrent silencieux un long moment. Herbert finit de pétrir, mit les pains à lever sur la caisse à charbon et se lava les mains. Anton s'était réinstallé sur sa chaise et avait retrouvé son regard fixe. C'est seulement quand les pains furent dans le four qu'Herbert reprit :

— Maintenant que t'as décidé de faire le grand saut, je voudrais seulement te demander d'avoir un peu d'égards vis-à-vis de celui qui restera.

Herbert sortit sa pipe et la bourra. Anton se tourna vers lui en hochant la tête.

— Qu'est-ce que tu veux dire ? demanda-t-il.

— Ben oui. Sois gentil, fais ça proprement. De manière qu'il n'y ait pas trop de nettoyage après. Valfred a eu autrefois un compagnon qui s'est pendu à une poutre du plafond. Cet homme avait fait preuve d'élégance et de compréhension. Les Eskimos, eux, vont s'asseoir sur la glace, ce que je trouve formidablement délicat, pour ne pas parler de la méthode qui consiste à sauter dans une faille de glacier. Voilà qui est presque parfait vu du côté des survivants.

Anton continuait à hocher la tête. Il avait l'air de ne pas écouter ce que disait Herbert. Il était probablement loin dans ses projets, et Herbert regarda le jeune homme avec compassion. Si jeune et déjà fini. Les choses peuvent évoluer ainsi quand on est jeune et qu'on se laisse remplir la tête d'idées. On arrive ici avec trop de lest et on coule très facilement. La sagesse était une bénédiction, mais il fallait l'ingurgiter à petites doses et de préférence à un âge mûr. Les années de jeunesse devaient servir aux bagarres. Parce qu'il y avait beaucoup de défis et beaucoup de choses à vaincre. Un homme intelligent ne se risquait sur la glace que lorsqu'il sentait qu'elle était devenue solide et assez épaisse pour le porter. Herbert secoua la tête. Il n'arrivait pas à comprendre les jeunes comme Anton.

— Dis-moi, demanda-t-il, pour quand t'as prévu l'événement ? C'est qu'il faut que j'm'organise pour la chasse que je serai désormais obligé de faire seul, je t'informe aussi qu'il me serait plus facile de me débarrasser de toi pendant l'été, quand tout est dégelé, que pendant l'hiver.

Anton se dressa sur sa chaise. Il crispa ses mains jointes à tel point que ses articulations en devinrent blanches.

— Au prochain mouillage du bateau, chuchota-t-il.

— Bien. Ça me va tout à fait.

Herbert eut un soupir de soulagement. Si le garçon pouvait attendre l'arrivée du prochain bateau avant de déchausser ses kamiks[1], il ne voyait plus aucune objection. Ils auraient encore le temps de faire une chasse d'hiver convenable, et la *Vesle Mari* pourrait ramener le cadavre à Copenhague. Rassuré, Herbert se frotta les mains.

— C'est à la fois judicieux et attentionné, comme moment, c'que t'as choisi là, Anton. Et je suis content que tu puisses attendre si longtemps. Pour tout t'avouer, j'étais vraiment un peu inquiet

---

1. Kamiks : bottes en cuir de phoque des Eskimos.

de savoir comment j'aurais pu me débarrasser de
ton cadavre.

— Mon cadavre ?

Anton le regarda effaré.

— Oui, parce que je suppose que tu n'avais pas
prévu de le brûler ? rigola Herbert en se levant pour
prendre la bouteille de schnaps. Dans ce genre de
circonstance, c'est à la fois un droit et une chose qui
coule de source que de trinquer, dit-il joyeusement
en levant son verre. Tchi-tchin, monsieur le candi-
dat. Il faut boire tant qu'on est en vie, ha, ha !

Anton regardait sombrement devant lui.

— Dans ce cas, je ne devrais pas boire, dit-il,
parce que moi, je me sens comme mort.

Il prit le verre et fit disparaître le schnaps :

— Mais quand je serai rentré à Glostrup, tout
sera différent. Je revivrai.

— Quoi ?

La main d'Herbert resta suspendue à mi-chemin
de la bouteille.

— A Glostrup, tu dis ?

Anton opina du chef :

— Exactement. C'est le seul endroit où ça vaut
le coup de vivre. Dès que le bateau arrive, je joue
les filles de l'air, Herbert.

— Ah, bon.

Herbert attrapa la bouteille et la reboucha.

— Alors, y a plus rien à fêter, murmura-t-il en
rangeant la bouteille dans le placard. Putain de
malentendu. J'avais compris que tu voulais te
débarrasser de la vie, et en fait tu veux simplement
retourner au Danemark.

Il sécoua la tête.

— Mais d'un autre côté, ça revient à peu près au
même.

Cette conversation eut lieu au mois de février alors qu'il faisait encore froid et noir. Et Anton commença petit à petit à préparer son repli, alors qu'on ne pouvait pas s'attendre à voir la *Vesle Mari* avant le mois d'août, au plus tôt. Il lava ses vêtements soigneusement, se rasa la barbe et descendit ses valises du grenier. Herbert ne dit rien. Il s'occupait de ses oignons et ne prêta aucune attention aux faits et gestes d'Anton.

Au début du printemps, ils eurent la visite de ceux de Bjørkenborg et de ceux de la Cabane du Vent. Les visiteurs virent avec surprise les valises pleines à craquer devant la couchette d'Anton et regardèrent étonnés ses joues rasées de près. Celui-ci ne donnant de lui-même aucune explication, ils lancèrent un regard interrogateur à Herbert qui répondit en posant un doigt sur son front et en fermant un œil. Ils comprirent.

Bjørken fit savoir que, s'il devait être question de fêter un départ, on serait bienvenu à Bjørkenborg pour faire ça. C'était de toute manière là-bas que la *Vesle Mari* allait accoster pour décharger toutes les provisions venant des stations de la côte sud. Museau parla de quelques lettres qu'il aimerait faire poster par Anton à Copenhague, à condition d'avoir le temps de les écrire avant le départ du bateau, bien entendu. Lause offrit son casque colonial. Il estimait que le soleil, là-bas, dans les pays chauds, serait un supplice pour celui qui revient après des années en Arctique. Il ferait une caisse doublée et l'enverrait à Guess Grave dès qu'il y aurait une occasion. Siverts arracha à Anton la promesse de lui acheter et de lui faire parvenir dans les années à venir une cinquantaine de rouleaux de papier toilette de la qualité la plus moelleuse.

Anton nota toutes ces commissions dans un cahier. Ces visites le ragaillardirent fortement; il était content et insouciant comme une alouette. Mais une fois qu'il se retrouva seul avec Herbert, la mélancolie fondit à nouveau sur l'étudiant Pedersen, qui quitta la réalité et retourna à ses rêves.

Arriva le mois de mai; Anton était plus prêt à partir que jamais. Pendant quatre mois, il avait pour ainsi dire vécu dans ses valises. Ses joues s'étaient creusées et ses yeux mélancoliques étaient cernés de noir.

Le soleil avait commencé à se balader dans le ciel jour et nuit, et Anton montait souvent sur un petit amas de rochers nommé la Bosse de Svensson, au-dessus de la station, pour guetter le bateau. Il restait assis là à s'imaginer les sentiments qui allaient s'emparer de lui à la vue du mince filet de fumée au-dessus de l'horizon. Ce moment devenait si grandiose dans ses pensées qu'il en avait le vertige. Il pensait si intensément au fin trait de fumée qu'il le voyait presque, il s'imprégnait de cette image et la rapportait avec lui à Guess Grave, où il s'installait sur sa couchette pour la contempler. Un vrai somnambule, pensait Herbert, que rien apparemment ne pourrait réveiller. Anton avait quitté la vraie vie et naviguait dans un monde d'illusions. Jusqu'au jour où surgit un bruant des neiges.

Il arriva de bonne heure. Un petit gars plein d'entrain qui voulait être sur place avant ses rivaux. Il avait volé à partir de l'Islande, au-dessus de la mer libérée de ses glaces, en direction du nord-est, par la neige, la tempête et le froid. Flapi, tout engourdi, il se posa devant les bottes d'Anton. Une fois un peu remis, il commença à chanter joliment.

Anton, qui était assis sur la Bosse de Svensson, arracha à contrecœur son regard de l'horizon et baissa les yeux. Il se racla la gorge, et l'oiseau sursauta craintivement au bruit de sa voix. Il gonfla ses ailes et se secoua fortement. Du bec, il arrangea quelques plumes, puis reprit son chant, insouciant. Quelque chose de ces notes joyeuses pénétra Anton. Il eut de vagues réminiscences de nuits à bord de la *Vesle Mari*, de ces heures fantasques où il avait été comme détaché de lui-même et uni à l'immensité de la mer. C'est le printemps qu'il entendit dans le chant du bruant des neiges. Ce printemps qu'il avait maintenant vu trois fois, mais jamais senti. Son cœur se mit à battre plus fortement dans sa poitrine, et quand il ouvrit la bouche comme pour dire quelque chose, il n'entendit que ses propres pulsations.

Le printemps arctique. Anton, déconcerté, ébouriffa d'une main ses cheveux. Son regard tomba sur les traces de pas du bruant. De petits traits noirs, en filigrane, un dessin dépourvu de sens. Il fixa les traces et y lut sa propre vie. Il se souvint de ses rêves. Le rêve du héros polaire, le rêve de fuite. Le rêve du rêve. Dans les traces, il trouva une sorte de lien. Ces petits traits misérables sans autre importance que d'avoir été laissés par le bruant. Ce bruant, qui avait fait des centaines, peut-être des milliers de kilomètres, pour pouvoir poser ses empreintes exactement ici, dans la neige devant les pieds d'Anton.

Il commença à comprendre ce qui avait fait venir l'oiseau ici. Il prit conscience tout à coup de la fantastique attirance que ce désert suscitait. Il tourna le dos à la mer couverte de blocs de glace et regarda les terres. A nouveau, son âme se gonfla d'éternité. Les montagnes remplirent tout son champ de vision.

En bas, elles étaient couvertes d'énormes amas de neige, ronds, séduisants, presque doux comme des femmes. De longues guirlandes brunes couraient sur les versants de montagne où la neige avait fondu, et en haut, les pics gigantesques s'étiraient vers le ciel clair comme des clochers d'église. Pour la première fois de sa vie, Anton voyageait en lui-même. Il était quelque part en dehors de son corps, quelque part entre le fond de la vallée et la voûte infinie du ciel. Il ne voyait rien, n'entendait rien et ne se souvenait de rien. Il sentait en lui une liberté intense, cette liberté dont il avait toujours rêvé, et qu'il s'était toujours souhaitée à travers ses rêves. Cette liberté que l'immense pays polaire avait patiemment, trois ans durant, tenue offerte devant lui.

Le bruant des neiges s'était familiarisé avec Anton. Il sauta franchement en avant et picora le bout de sa botte. Mais Anton ne le remarqua pas. Il regardait le pays comme s'il ne l'avait jamais vu.

Loin au-dessous de lui, il voyait la cabane de Guess Grave. Il vit Herbert debout devant les longs fils des séchoirs où les peaux de renard de l'hiver étaient suspendues. Derrière la cabane s'évasait, en forme d'entonnoir, la vallée qui allait jusqu'au Lac des Saumons. Ici, il s'était battu, avait enragé et rêvé. Dans la neige profonde, dans les intempéries, avec des chiens récalcitrants. Il avait juré, hurlé et s'était apitoyé sur lui-même. Les voyages avaient été méchants comme des cauchemars, aussi méchants précisément qu'il avait su les faire.

Anton respirait profondément. Il se sentait protégé par les montagnes, là où, avant, il s'était senti enfermé. Là où, auparavant, il avait rêvé d'obtenir l'impossible, il sentait maintenant qu'il était heureux sans l'impossible, qu'il était chez lui dans le monde qui l'entourait.

Anton resta longtemps assis dans la montagne. Quand enfin il se leva, ses membres étaient raidis par le froid. Il fit un signe de tête au bruant des neiges qui s'était posé sur un caillou quelques mètres plus loin pour dormir.

— Merci pour la chanson, murmura-t-il. Belle leçon.

Quand il descendit de la montagne, son cœur battait plus fort. C'était comme s'il avait eu rendez-vous avec sa bien-aimée et qu'elle avait dit oui. Il fit un clin d'œil à Herbert qui, entouré d'un nuage de fécule de pomme de terre, était occupé à saupoudrer les peaux de renard. Et Anton rentra dans la maison pour défaire ses valises.

La balle perdue

... où le placide Siverts prend conscience qu'une bonne colère peut avoir du bon, et qu'au bout du compte le hasard fait bien les choses...

Tous les ours blancs ne prennent pas leurs quartiers d'hiver. Et tous les ours en hibernation ne dorment pas jusqu'à la fin de l'hiver. Même pendant la période la plus froide et la plus sombre de l'année, on peut tomber sur un de ces randonneurs solitaires qui font l'impasse sur leur sommeil d'hiver ou qui, pour une raison ou une autre, ont été réveillés avant le retour de la lumière.

C'est un lascar de cet acabit qui s'en prit à Siverts à quelques kilomètres de la cabane de chasse « la Villa de la Falaise ». Événement frappant en soi, car au Groenland il est assez inhabituel que ce soient les ours qui chassent les hommes. Le plus souvent ils se cachent, et s'ils n'ont pas de chance, qu'ils sont découverts par les chiens, ils essaient de s'échapper. Mais cet ours-là était différent. Peut-être après quelques mois d'hibernation avait-il épuisé ses réserves de graisse et avait-il été réveillé par la faim qui le tenaillait, ou encore venait-il des alentours du détroit de Béring, où il est de notoriété publique que les ours ne sont pas tout à fait dans les normes et attaquent, tuent et dévorent leurs ennemis à deux pattes avec la plus grande délectation.

L'ours flaira Siverts et subodora la viande. Probablement pour la première fois depuis longtemps dans ce paysage figé. Siverts avait une odeur sympathique, c'est pourquoi l'ours se mit en embuscade et attendit patiemment. Siverts arrivait par les congères le long de la côte de Walsøe. Il était assis sur le traîneau, la pipe à la bouche, tout guilleret à l'idée d'arriver. Parce que la Villa de la Falaise était presque luxueuse. Une boîte carrée de trois mètres sur deux où l'on pouvait se tenir debout. Avec une cuisinière basse sur pattes, une table à abattant et une couchette faite de planches de tonneaux. Avec ça, des coupures de journaux punaisées sur les murs, une caisse à charbon et un tonnelet d'eau.

Les chiens avançaient joyeusement dans le gel crissant de février, et le clair de lune était suffisant pour qu'on puisse s'orienter aisément. La glace illuminée était brillante, presque sans neige, et les ombres montaient, nettes et noires comme du goudron entre les amas de glace.

L'ours s'était tapi dans l'ombre entre deux blocs de glace dentelés, au-dessus du chemin du traîneau. Il resta bandé comme un ressort jusqu'au passage de Siverts. A ce moment-là, il se déplia et s'abattit sur le chasseur qui ne se doutait de rien.

Dire que Siverts fut surpris ne serait nullement une exagération. Il glissait tranquillement vers les splendeurs de la Villa de la Falaise et voilà que, subitement, il se retrouvait avec quatre cents livres d'ours sur les genoux. La surcharge arracha les sangles du traîneau et les patins s'aplatirent de chaque côté.

Siverts hurla d'horreur. L'ours hurla encore plus fort, mais de fureur. Il tourna la gueule vers Siverts et lui souffla de l'air chaud jusqu'au-dessous du capuchon de son anorak. Ce fut immédiatement un grand chaos. Les chiens attaquèrent, ce qui ne fit qu'aggraver considérablement la situation. Ils sautaient, aboyaient autour de l'ours et eurent tôt fait d'entortiller tout le monde, l'ennemi, Siverts et eux-mêmes dans les longs traits d'attelage. L'ours grognait et rugissait furieusement et faisait de grands moulinets dans l'air avec ses gigantesques pattes. La corde avant du traîneau se noua autour d'une des pattes arrière de l'ours, et le chien-guide de Siverts — Whisky — profita de l'occasion pour planter ses crocs dans la plante noire et ne plus lâcher prise. L'air frémissait de hurlements, de cris et de grognements. L'épaisse corde, que les chiens avaient trouvé le moyen de dissocier des traits d'attelage, les ligota en un grand tas, et ce tas gesticulait au milieu du traîneau, de l'ours et de Siverts.

Sa première frayeur passée, Siverts reprit suffisamment ses moyens pour ramener ses jambes vers lui. Il constata que rien n'était cassé, poussa l'ours vers les chiens et quitta le traîneau en roulant sur le côté. Ensuite, il se sauva à toutes jambes vers la Villa de la Falaise.

Voyant son rôti détaler, l'ours, avec une force décuplée, fit sauter les cordes qui le retenaient, arracha d'un coup de dent la moitié de l'oreille de Whisky, se débarrassa des autres clébards et se mit à la poursuite du fugitif.

Jamais de sa vie Siverts n'avait couru si vite. Les semelles de ses kamiks effleuraient à peine la glace et soulevaient une fine poudre de neige.

Mais l'ours était plus rapide. Il s'engagea dans un galop tenace et gagnait du terrain, se rapprochant de plus en plus du chasseur malchanceux. Derrière eux deux venait le traîneau démantibulé, tiré par ceux des chiens qui n'étaient pas emberlificotés dans les cordes et qui avaient toujours quatre pattes disponibles. Le fusil de Siverts, malmené, glissait sur la glace derrière le montant cassé, sans utilité aucune.

Siverts sprinta comme s'il avait le diable en personne sur ses talons. Son thorax s'agitait comme un soufflet d'accordéon, il gémissait et sifflait, un goût de sang dans la bouche. Quand il entendit l'ours derrière lui, il fit ce que beaucoup d'autres bonshommes avaient fait avant lui. D'un geste prompt, il tira son anorak graissé au suif par-dessus sa tête et le lança loin sur le côté. Cela lui donna une petite avance. L'ours planta ses griffes dans la glace et freina brutalement. Il se jeta consciencieusement sur l'anorak dont il commença à dévorer une des manches. Mais le goût n'était pas à la hauteur du fumet. Cette partie de l'homme n'était ni vivante ni gorgée de sang. Enragé, l'ours déchira l'anorak en mille lambeaux, certain qu'il était de n'avoir aucun mal à rattraper le fuyard.

Siverts ne perdait pas son temps. Il allait à fond de train tout en passant sa chemise par-dessus sa tête pour qu'elle soit prête, la prochaine fois que l'ours se ferait trop pressant. Ce qui ne tarda pas : quand il eut enfoui les haillons loin sous la neige en les piétinant, il reprit la poursuite. Siverts abandonna sa chemise, et l'ours, qui ne voulait rien rater, la flaira, la goûta et en fit de la charpie.

Siverts s'était ainsi délesté de la plupart de ses habits en arrivant en vue de la Villa de la Falaise. Malgré le gel tranchant et le souffle glacial dû à la vitesse, son torse luisait de sueur pendant qu'il courait vers la maison en haut de la pente et qu'il en franchissait la porte. Il referma, verrouilla solidement derrière lui et s'appuya ensuite contre le dormant de la porte en soufflant comme une locomotive à vapeur.

— Eh beh! il a failli avoir du bol avec moi, celui-là, gémit-il, essoufflé. Sur la fin, ça tenait du vrai strip-tease.

Il tâtonna dans le noir et trouva les allumettes sur la cuisinière. Une fois la lampe allumée, il regarda autour de lui. Il y avait du charbon dans la cuisinière et une demi-noix de bœuf sur le séchoir. Il regarda dans le seau d'eau et constata avec satisfaction qu'il était plein de glace. Alors il s'assit sur la couchette pour souffler.

— Que diable font les clébards? murmura-t-il. Je suppose qu'ils sont restés accrochés dans les congères glacées, sur la plage.

Siverts avait raison. Les chiens étaient retenus par les cordes prises dans les blocs de glace au bord de l'eau. Aucun d'eux n'avait assez d'astuce pour mordre sa corde, et après avoir grogné et jappé les uns après les autres pendant un certain temps, ils se couchèrent résignés, en attendant que Siverts revienne les libérer.

Mais Siverts n'avait aucune envie de sortir dans le noir. Il entendait l'ours fureter dans tous les coins et son fusil lui manquait cruellement.

« En supposant qu'il reste dehors, y aurait presque de quoi soutenir un siège de longue durée, se dit-il à lui-même, satisfait. Ici, y a d'la chaleur, de quoi boire et bouffer, ce qui n'est pas le cas pour l'autre pomme dehors. » Il se leva et alluma la cuisinière. Le charbon avait été mis en place par le chasseur qui s'était servi du refuge en dernier, et la bouteille de pétrole pour l'allumage était prête sur la caisse à charbon. Bientôt une chaleur vivifiante se répandit dans la petite boîte ; Siverts tira la chaise de la maison et enfonça ses pieds nus dans le four. Il pensa qu'il avait eu de la chance de porter un pantalon en cuir de phoque et des kamiks : choses qui avaient occupé l'ours pendant bien plus longtemps que des habits de fabrication européenne n'auraient pu le faire.

« Si seulement on avait eu son fusil, pensa-t-il, tout aurait été parfait. » Il se pencha et attrapa la hache qui était posée contre le seau d'eau. Elle pouvait servir, mais seulement en cas d'urgence extrême, comme si, par exemple, il prenait à l'ours l'envie d'entrer se réchauffer. Le fusil était indispensable s'il fallait expédier le bonhomme. Siverts retira ses pieds du four et les posa sur la rampe en laiton de la cuisinière. Et il commença à calculer. Il y avait environ cent mètres jusqu'à la plage où les chiens étaient probablement coincés. Cette distance pouvait, dans le meilleur des cas, être liquidée en douze secondes, puisqu'il fallait ici compter avec des chiffres de records olympiques. Donc douze secondes. A cela il fallait ajouter cinq secondes pour libérer le fusil à coups de hache, deux secondes pour charger la culasse et viser, plus deux secondes pour les impondérables. En tout et pour tout, vingt et une secondes. Le temps de l'ours était meilleur. Il courait deux fois plus vite que Siverts, et n'avait à se soucier ni de fusil, ni de chargement, ni de visée, et même si Siverts s'offrait trois secondes grâce à l'effet de surprise en franchissant la porte, il arriverait de toute façon avec un handicap de douze secondes.

Siverts s'y reprit à plusieurs fois pour ses calculs. Même en retranchant un peu, à plusieurs reprises, sur la vitesse de l'ours et en rajoutant un peu sur l'effet de surprise, le résultat restait à l'avantage de l'ours. Il renonça donc temporairement à cette éventualité, remplit la cuisinière de charbon et installa ses fesses nues au-dessus des rondelles chauffées à blanc. Le plus simple était maintenant d'attendre et de laisser les choses évoluer tranquillement.

L'ours faisait du raffut autour de la maison dans le froid. Affamé, il flaira par le chambranle de la porte, fit le tour de la maison plusieurs fois à petits pas et examina avec soin la forteresse de Siverts, à la recherche de points faibles. Siverts emmagasinait de la chaleur par le fondement et se réjouissait de la sécurité qui régnait à l'intérieur.

— M'est avis que tu devrais aller te coucher quelque part sur la glace, cria-t-il à l'ours à travers la mince cloison de planches. Un vieux diable aigri comme toi ne devrait pas se lever avant d'avoir fini de se reposer.

En réponse, l'ours grogna méchamment, ce qui donna des frissons à Siverts alors qu'il faisait maintenant une température très convenable dans la baraque.

— Holà! cria-t-il. C'était seulement un petit conseil amical.

Il fixa la porte alors que l'ours reniflait à toute force par les fentes, labourant l'huisserie de ses griffes.

Siverts saisit la hache.

— Tu gagnerais rien à devenir trop ingénieux, camarade, dit-il, parce qu'ici, j't'informe qu'y a de la place pour un seul de nous deux.

Des images de cabane de chasse dévastée lui traversèrent l'esprit. Il arrivait assez souvent que des ours y pénètrent et les rasent. Ils défonçaient les portes, écrasaient des boîtes de conserve pour en faire sortir le contenu, renversaient cuisinières, tables et chaises, arrachaient les couchettes des murs et sortaient souvent par les fenêtres, arrachant à l'occasion la totalité du cadre. Il n'y avait pas de doute que cet ours, lui aussi, pouvait, sans problèmes, entrer chez Siverts s'il le souhaitait vraiment. Et Siverts avait le sentiment très net que c'était justement un de ses souhaits les plus vifs. Il resta longtemps près de la porte, la hache levée. Il resta si longtemps que son bras s'ankylosa. Il fut franchement soulagé en entendant l'ours reprendre sa ronde autour de la maison.

Une heure paisible s'écoula. Siverts supposa que le siège avait commencé et se mit à faire la cuisine. Il tailla à la hache quelques tranches gelées sur la noix de bœuf et les balança sur les rondelles de la cuisinière.

Bientôt la cabane se remplit d'un délicieux fumet de viande grillée, et dehors, l'ours se remit à renifler énergiquement par les fentes de la porte. Siverts mangea ses biftecks. Puis il remit du charbon dans la cuisinière afin de fondre de la glace pour le thé. C'est juste au moment où il remuait les braises que l'idée lui vint. Bien sûr ! Il regarda le tisonnier presque chauffé à blanc et reprit ses calculs. Cette petite surprise ferait plus que rééquilibrer le rapport de forces. Et si, en plus, il avait la chance, en passant, de pouvoir filer un coup de hache au gaillard, le fusil était pour ainsi dire dans la poche.

— Je tente le coup, bordel de merde, murmurat-il encouragé.

Il enleva l'eau du thé de la cuisinière et retira le

tisonnier. Siverts lui trouva l'air meurtrier, et il eut presque pitié de l'ours. Sans un bruit, il s'approcha de la porte sur la pointe des pieds, la déverrouilla et l'ouvrit tout grand.

L'ours était assis sur son large derrière. Étonné, il regarda l'homme à moitié nu. Mais avant qu'il se soit ressaisi et qu'il ait eu une réaction intelligente, Siverts lui avait enfoncé le tisonnier dans la poitrine et filé une claque avec le plat de la hache. Une flamme de douleur traversa l'ours. Il se renversa, hurla sauvagement, des brouillards rouges devant les yeux et une odeur de brûlé dans le nez. Il tomba dans la neige et empoigna l'arme terrible enfoncée dans sa poitrine.

Siverts volait en direction des chiens. Il arriva au traîneau en moins des douze secondes olympiques. Le fusil était coincé sous un des patins. Siverts coupa la corde et le retira. Les chiens jappaient de joie en le voyant, mais il ne fit pas attention à eux. Il souffla la neige de la culasse et voulut armer. Sans succès. Il s'acharna comme un fou furieux sur le boulon mais n'arriva pas à tirer la culasse.

— Putain, siffla-t-il, cette merde s'est coincée.

Il jeta un coup d'œil vers l'ours qui était toujours en train de hurler et de gesticuler en essayant d'éteindre l'incendie dans sa fourrure.

Siverts s'échinait sur le fusil. Il était tellement occupé qu'il en oublia de faire la seule chose qu'il y avait à faire, c'est-à-dire libérer les chiens. Ils couinaient, et râlaient, et jappaient, et faisaient tout ce qu'ils pouvaient pour essayer d'attirer son attention. Mais Siverts n'avait que son fusil en tête. Et même s'il avait beaucoup de secondes à son crédit, il ne pouvait rien faire. Soit cette saleté s'était voilée à être malmenée sous le traîneau, soit un petit morceau de glace s'était calé dans la culasse usée.

Quand enfin l'ours réussit à extraire le tisonnier et à le piétiner tellement profondément dans la neige qu'on ne le voyait plus, il s'intéressa de nouveau à Siverts. Il regarda vers les chiens en grommelant et vit son adversaire en train de s'exercer rageusement avec un autre tisonnier, encore plus long que le précédent. Cette vision fit rougir ses yeux de fureur et il retroussa les babines, découvrant ainsi ses longues dents jaunes. Sans un bruit, il se glissa vers le bord de l'eau.

Siverts le vit arriver. Il avait renoncé au fusil, mais ne pensa ni aux chiens ni à la hache. Sa peau nue était bleue et couverte de chair de poule, mais à l'intérieur il commençait à bouillir.

Dans la vie quotidienne, il était imperturbable et débonnaire comme une tortue. En général, il donnait raison aux autres, si cela pouvait maintenir la paix, il n'avait pas de principes et il était très difficile à provoquer. Mais en cet instant précis, un fusil inutilisable dans les mains, observant l'ours perfide, il sentit une rage brûlante et profonde monter en lui. A l'image des Berserkir[1] nordiques de l'Antiquité, il sentit la fureur prendre possession de tous ses muscles et les faire vibrer d'une envie de bataille. La vision de cet ours furieux lui fit l'effet que la décoction de ciguë faisait dans les temps anciens sur les tuniques en peau d'ours des Vikings. Son corps se tétanisa plusieurs fois, comme saisi par des crampes, et son cerveau s'assombrit totalement dans l'humeur belliqueuse qui l'envahissait.

Siverts grogna contre l'animal, d'un grognement profond et menaçant qui monta de son ventre, fran-

---

1. Berserkir : dans la mythologie scandinave, groupe de guerriers farouches vêtus de peaux d'ours ou de loup.

chit sa bouche entrouverte et frappa les petites oreilles dodues de la bête comme des coups. L'ours suspendit son approche. Il se figea sur ses quatre pattes et balança, hésitant, la tête d'un côté à l'autre.

Le fusil sur la nuque et le pas raide, Siverts monta vers la maison. Le grognement menaçant s'articula et les mots sortirent à flots.

— Tire-toi de là, minus ! tonna-t-il. Tu te figures quand même pas qu'j'ai peur de toi.

Il montra un de ses poings.

— Parce que toi, tu n'es qu'une grosse feignasse qui traîne ici et là à gêner les phoques et autres braves gens. Du vent, évapore-toi, misérable pisse de vache ! Ha... ha !

Il eut un rire tonitruant, hystérique.

— Ha... ha... ha... faire peur à Siverts, non mais, couille molle ! Maintenant, c'est moi qui vais t'effrayer pour de bon, tu vas voir !

Il envoya un long crachat vers l'ours et tapa du pied dans la neige.

— Tire-toi, fulmina-t-il, ou je te piétine à mort, lavette !

L'ours regarda Siverts avec étonnement. Il y avait quelque chose qu'il ne comprenait plus. La conduite de cet être humain sortait de toutes les conventions. L'homme avait d'abord hurlé d'horreur, ensuite il avait couru à s'en arracher la peau, et maintenant, intrépide, il attaquait avec un nouveau et encore plus long tisonnier en poussant d'horribles cris de guerre. Il était peut-être, malgré tout, plus dangereux qu'il n'en avait l'air. Le premier tisonnier l'incitait à une certaine prudence, et l'ours commença presque imperceptiblement à lâcher pied devant Siverts.

— Fous le camp, petite merde !

Siverts brandissait le fusil et criait, non sans témérité.

— Jusque dans le fjord. J'veux plus t'voir rôder par ici et gâcher mon sommeil, crébondieu.

L'ours fixait l'arme qui brillait dans la lumière de la lune. Et comme il craignait que celle-ci soit aussi terrible que la première, l'effrayant tisonnier, il sauta rapidement sur le côté et laissa passer Siverts.

Sans honorer son adversaire du moindre regard, Siverts marcha d'un pas lourd vers la maison. En chaussettes, il monta droit vers la Villa de la Falaise, pestant et jurant comme un boucanier complètement bourré. Il passa la porte et la claqua derrière lui d'un coup de pied.

— C'est comme ça qu'il faut les traiter, ces écorcheurs, grogna-t-il. Là, il en a eu pour son grade.

Encore tremblant d'indignation, il remit l'eau du thé à bouillir. Et c'est en fait seulement après la deuxième tasse de thé qu'il revint à lui. La colère le quitta presque aussi brusquement qu'elle l'avait pris, et il dut s'asseoir sur une chaise, ses jambes refusant de le porter.

— Doux Jésus, murmura-t-il, qu'est-ce qui n'aurait pas pu m'arriver !

Il transpira fortement à cette pensée et loucha vers la porte. Le fusil était appuyé contre le cadre, et le voir lui donnait une certaine sécurité. Il se leva, verrouilla la porte et posa le fusil sur le séchoir. En quelques minutes, la culasse avait dégelé et était à nouveau utilisable. Siverts la chargea, arma et sourit, satisfait.

— Maintenant il peut s'approcher, dit-il. Enfin, s'il en a toujours envie après ce coup de semonce.

Mais l'ours n'avait pas renoncé à Siverts. Il avait

simplement appris la leçon et était devenu prudent. Il se tint loin de la porte, car on ne savait jamais quels coups fourrés pouvaient encore sortir de là. C'est pourquoi, une fois Siverts disparu à l'intérieur, l'ours se retira tout doucement vers une pierre couverte de neige à une dizaine de mètres de la maison. Couché sur cette pierre, il observa la porte. Plusieurs fois, Siverts sortit la tête en tenant son flingue prêt à la hauteur de la hanche. Il arrivait tout juste à distinguer l'ours à la lueur de la lune ; il lui arriva de tirer mais sans arriver à bien viser dans l'obscurité. L'ours ne bougea pas d'un millimètre. Il regardait la cabane d'un air toujours fixe, une patte sur son museau noir, se croyant invisible.

Siverts avait l'impression que l'animal ne tenterait rien au cours de la nuit. Il s'installa donc sur les planches de tonneau, une peau de renne qui avait été clouée au mur sur la poitrine et le fusil sur le ventre. Il avait baissé la lampe au minimum sans l'éteindre, et ainsi couché, il se sentait tout à fait à l'aise et plein de courage.

« Si demain il n'a pas suivi mon petit conseil de mettre les bouts, on videra ce petit différend, pensa-t-il ; apparemment, c'est moi qui ai le dessus maintenant. »

Et il s'assoupit, cette plaisante pensée bourdonnant dans sa tête.

Mais l'ours avait des pensées à peu près identiques dans la sienne. La maison devenue silencieuse, quand il ne vit plus de lumière par les fentes, il s'approcha sans un bruit de la porte. Avec une infinie prudence et une infinie lenteur, il se hissa sur le toit où il se coucha, une de ses lourdes pattes pendant au-dessus de l'entrée. A un moment ou à un autre, l'homme sortirait et alors l'ours lui ferait recevoir le ciel sur la tête.

Siverts dormait profondément, confiant. Quand il se mit à ronfler bruyamment, l'ours flaira nerveusement l'air. Mais comme il ne trouva pas de rapport entre ce bruit désagréable et les dangereux cris de guerre d'avant, il resta tranquillement sur le toit. Il coucha en arrière les cornets dodus qui lui servaient d'oreilles et se lécha les babines, plein d'espoir.

Quelques heures plus tard, le froid réveilla Siverts. La cuisinière s'était éteinte, et quand il augmenta la lampe, il vit que la gelée blanche brillait sur les murs. Il balança ses jambes par-dessus le bord de la couchette et chancela endormi jusqu'à la caisse à charbon. Il y en avait encore assez. Quatre morceaux, gros comme des courges bien mûres. Siverts regarda le charbon d'un air découragé, et il soupira profondément en repensant qu'il avait oublié la hache en bas, à côté des chiens. Les chiens ! La hache ! Tout d'un coup, il se rendit compte de la gaffe qu'il avait commise. Pourquoi n'avait-il pas coupé les cordes avec la hache et libéré les clébards ? Ils auraient pu tenir l'ours sans aucun problème. Les lobes des oreilles de Siverts en rougirent. Cela ne devait jamais se savoir. Une fois pour toutes, c'était dit ; on ne devrait jamais parler de cette chasse à l'ours. On le prendrait pour un idiot ou un menteur, et il serait la risée de toute la côte. Toute cette maudite histoire ne souffrait aucune excuse. D'abord il s'était laissé attaquer, ensuite il s'était laissé poursuivre comme un lapin, puis il avait oublié de libérer les chiens, et enfin il s'était débarrassé de l'ours en le houspillant vertement.

— Dès que je me suis réchauffé, murmura-t-il, je sors et je descends ce sagouin dans les formes, voilà !

44

Il retira un morceau de charbon de la caisse et le coinça entre ses pieds. Ensuite il saisit son fusil, qui était la seule chose suffisamment dure dans la baraque, et, de la crosse ferrée, donna un coup sur le charbon. Le morceau se cassa en deux et Siverts continua sa besogne.

Le fusil de Siverts était un excellent fusil. Il avait servi sur la côte pendant de nombreuses années et, avant cela, dans l'armée danoise, en 1889. C'était un fusil à la crosse massive qui se chargeait par la culasse et avait participé à bien des choses. Mais le poids des ans sur la crosse, les innombrables coups tirés, les mauvais traitements sur la glace, et maintenant ces coups répétés sur le charbon, eurent pour conséquence qu'exceptionnellement, il trahit. Sans préavis et avec une énorme détonation, le coup partit.

La balle siffla tout près du gros nez de Siverts, à travers son ardente frange rousse et sortit par le toit. La lampe s'éteignit par la même occasion.

Siverts laissa tomber le 89. Il poussa un hurlement d'effroi et tomba par terre à la renverse. Le calme une fois revenu, il chercha les allumettes à tâtons. Le silence était total. La détonation resta longtemps suspendue entre les oreilles de Siverts, et c'est seulement quand il entendit à nouveau sa propre respiration haletante qu'il prit conscience d'un curieux bruit de gouttes qui tombaient, comme de la glace qui fond par une chaude journée de printemps.

— Allons bon : qu'est-ce que c'est encore ? gémit-il, effrayé.

Il frotta une allumette et ralluma la lampe. Et là, devant ses pieds, grandissait une mare rouge sang. Il blêmit comme un cadavre et son cœur battit la breloque dans sa poitrine.

— Touché, chuchota-t-il d'une voix rauque, je me vide de mon sang.

Du coup, il se sentit las et misérable et dut s'asseoir par terre. Une douleur lancinante jaillit de la région du cœur.

— Qu'est-ce que je fais maintenant ? se lamenta-t-il en tournant son regard vers le plafond à la recherche d'une éventuelle réponse de là-haut.

La réponse lui arriva sous la forme d'un mince filet de sang qui coulait lentement par le trou de la balle.

— Ben dis donc, dit-il en se levant, qu'est-ce que c'est que cette histoire, bordel !

Il s'étira pour se hausser et mettre un doigt dans le trou. Le sang était chaud et avait bon goût.

— Mais, putain, c'est un goût de sang d'ours, grogna-t-il. Nom de Dieu, tu paries que ce crétin a clamsé là-haut.

Malgré le sang et le silence côté toiture, Siverts fut très prudent en ouvrant la porte. Une patte d'ours, molle, se balançait juste au-dessus de l'entrée et quand il la toucha avec le canon du fusil, il comprit qu'il n'y avait plus de vie dedans.

— Hé, hé, se gaussa-t-il, cette massue-là était sûrement prévue pour moi. Ça, c'était vraiment une putain de chasse à l'ours. Personne ne gobera ça.

Il sortit et éclaira la toiture avec sa lampe Petromax. Là-haut l'ours était couché, grand, jaune et raide mort. Siverts secoua la tête pensivement : « Voilà qui règle le problème, se dit-il pour lui-même. Si c'est ça la fin, je ne dois pas en souffler le moindre mot à qui que ce soit. »

Siverts arriva à la Cabane du Vent assis dans la peau de son ours. Il avait passé quelques jours à la

Villa de la Falaise pour nourrir les chiens et congeler la peau de l'ours en forme de traîneau. Il s'était
cousu un anorak en peau de renne avec le capuchon
en bœuf musqué de son sac de couchage, et il avait
enfilé ses jambes dans le chandail islandais qu'il
avait en réserve dans le sac du traîneau; il s'était
ainsi procuré un pantalon chaud. Il était donc à la
fois bien nourri, au chaud et de bonne humeur en
rentrant.

La première chose à faire était naturellement de
sauter sur ces exceptionnelles tinettes qu'il possé-
dait en commun avec Lause. Ainsi installé, il se
réjouit du confort et du panorama. Par la moitié
supérieure de la porte, laissée ouverte, il voyait
jusqu'à la plage où Lause était en train de regarder
son traîneau original.

— Que s'est-il passé, Siverts, cria Lause, votre
traîneau a cassé?

Siverts répondit :

— Il s'est fatigué dans les congères, Lause. Il
s'est couché et n'a plus rien voulu savoir.

— Et l'ours, d'où vient-il?

Lause était curieux de nature.

— Ah, l'ours. Hé, hé... c'était comme qui dirait
une balle perdue, tu comprends? Rien de spécial,
Lause, juste un petit ours ordinaire qui avait plus
envie de rentrer avec moi que de se promener
dehors à tous les vents.

Siverts ferma le haut de la porte et chuchota :

— Voilà qui est intelligent, mon petit Siverts.
Pas un mot, comme ça tu pourras conserver ta répu-
tation d'honnête homme et de bon chasseur.

Un petit détour...

... où Valfred, entre deux siestes, et Hansen, entre deux bains, visitent du pays.

— Si je ne vous connaissais pas si bien, j'aurais tendance à penser que cela n'est qu'un racontar, dit Lause en regardant ses visiteurs avec une certaine admiration.

Valfred découvrit ses dents du commerce flambant neuves en un sourire aveuglant.

— Hé, hé, hennit-il joyeusement, tu l'as dit, ça doit donner cette impression, la première fois qu'on entend ça. Et t'es encore du genre novice sur la côte, Lause, t'as pas encore eu le temps de t'habituer aux choses grandioses d'ici. Mais, parole, c'est la vérité vraie d'un bout à l'autre.

Il fit un clin d'œil au Lieutenant.

— Et ce voyage n'était pas mal du tout, n'est-ce pas, Hansen ? Nous avions tout notre temps devant nous, et la graille, on l'a trouvée en route. La seule chose qui nous manquait sérieusement, c'était l'eau-de-vie, mais de toute façon cela vous manque toujours, ça, sauf quand vous avez la bouteille aux lèvres.

Son beau sourire restait pour ainsi dire omniprésent. Un peu forcé, un peu inhabituel. Ces derniers temps, Valfred arborait un sourire quasi permanent. Il n'était pas peu fier de ses nouvelles dents du commerce qui avaient avantageusement remplacé les trois naturelles qui lui restaient. Impressionné lui-même par la beauté de ces dents, il la faisait volontiers partager à ses copains. Naturellement, il avait encore quelques difficultés d'adaptation. Il ne maîtrisait pas complètement cet élément étranger dans sa bouche. La partie supérieure de la prothèse avait ainsi une fâcheuse tendance à tomber, et il avait, de ce fait, adopté un zézaiement singulier, presque noble.

Lause, qui avait du mal à avaler l'histoire qu'on venait de lui raconter, sortit la clef de ses tinettes sans même attendre qu'on la lui demande.

— Je considère, dit-il à son partenaire Siverts, que nous devons, le cas échéant, laisser nos hôtes se servir des dépendances tant qu'ils séjournent à la Cabane du Vent. Qu'en pensez-vous, Siverts ?

Siverts hocha la tête :

— Ça me semble normal, répondit-il. Ils peuvent se précipiter dans la maisonnette quand ils veulent. Pour tout besoin. On ne fait pas dans le détail devant des gens qui viennent juste de quitter des conditions comme il faut et qui doivent se réhabituer lentement à la vie dans nos déserts.

Il regarda le Lieutenant, qui, assis droit sur sa chaise, se remplissait la gorge de café brûlant.

— C'était un sacré voyage, dis donc, Hansen, hein ? C'est pas c'que t'avais imaginé quand vous êtes partis pour la chasse aux phoques dans le Fjord des Glaces, hein ?

Hansen fixait le marc de café dans le fond de la tasse, d'un air absorbé.

— C'est le destin du chasseur, dit-il modeste. En tant que chasseur de la Compagnie, il faut être prêt à tout et n'importe quoi. Nous sommes partis en campagne comme de vaillants soldats et nous en sommes revenus la vie sauve. C'est tout.

Valfred mit de l'ordre dans la partie supérieure de sa bouche et zézaya :

— Je vous assure qu'il a du style, le Lieutenant. C'est un type coriace, qui ne se résigne pas de sitôt.

Le Lieutenant buvait du petit-lait sous les regards admiratifs des autres. Il goûta l'eau-de-vie dans le petit verre à côté de sa tasse de café et se lissa la moustache.

— On a appris un minimum de discipline, dit-il, extérieurement comme intérieurement.

Siverts passa un long moment à méditer cette sentence. Il connaissait le mot discipline, mais le cernait mal. Et quand, en plus, on l'employait avec extérieur et intérieur, il devait renoncer. C'est pourquoi il contourna la phrase en disant :

— Ah, ça, pour une remarque, c'est une remarque, Lieutenant. Cette histoire de discipline a sûrement eu beaucoup d'importance, pour Valfred aussi, je pense.

Il ébouriffa ses cheveux roux.

— Il faut certainement avoir de la discipline pour pouvoir raconter ce genre de chose. Quant à moi, j'aurais sûrement tenu ma grande gueule fermée. J'aurais jamais osé raconter ce genre d'aventure, on est tellement vite pris pour un vantard ou un menteur, vous savez bien.

Valfred fit claquer plusieurs fois son râtelier pour que le haut colle bien, et dit :

— Ça, c'est bien vrai, Siverts. Et c'est justement ce que j'ai dit à Hansen, là. Quel sacré bordel, Hansen, que j'lui ai dit. Personne ne va tomber dans le panneau. Mais ensuite, j'ai pensé que d'un autre côté, on pouvait pas non plus se permettre de frustrer ses copains de quelque chose d'aussi extraordinaire. Et parce que cette histoire n'est que de la pure vérité et parce que le Lieutenant est un homme honnête, je me suis dit qu'il fallait que tout le monde le sache.

D'un geste il demanda la bouteille à Lause qui la lui donna volontiers.

— Parce que j'suis sûr, continua-t-il en remplissant généreusement son verre d'eau-de-vie maison, qu'un tel récit a une certaine importance. Il peut donner matière à réflexion, oui, une fois qu'il a grandi et qu'il vit sa propre vie.

Siverts se lécha la barbe autour de la bouche.

— T'as dit « grandi », Valfred. Ça veut dire que comme ça, sans façons, vous permettez à Lause et à moi de le raconter aussi ?

Valfred hocha la tête.

— Oui, allez-y. Pourvu que vous vous teniez à l'intérieur de limites raisonnables, nous n'avons rien contre, n'est-ce pas, Hansen ?

Le Lieutenant fit un grand geste du bras :

— L'histoire appartient à tout le monde. Et on peut la raconter comme on veut. Il y a naturellement un certain nombre de détails que nous avons oubliés dans la hâte, mais vous pouvez les inventer vous-même, et les rajouter. Ça, on n'y voit pas d'inconvénient. Le rapport à la Compagnie est parti depuis longtemps et ce qui circule parmi nous ne changera rien aux faits.

La suite est donc ce que les gens de la Cabane du

Vent et ceux de Bjørkenborg en firent, détails et précisions inclus.

Le Lieutenant Hansen, assagi, s'était donc installé dans la station de Fimbul où Valfred était sans compagnon depuis longtemps.

On observa cette association avec beaucoup d'intérêt, et on avait même engagé certains paris concernant le temps que ces deux-là pourraient se supporter.

Naturellement, on avait pris la précaution de donner au Lieutenant quelques connaissances de première main sur les conditions de vie au Groenland en le laissant suspendu par une corde dans une crevasse de glacier pendant quelques heures[1], petite expérience dont on était certain qu'il avait pris bonne note. Mais jusqu'à quel point la leçon avait porté, personne ne le savait. La plupart craignaient le pire.

Mais Valfred ne se faisait pas de soucis. De toute façon, il était rare que Valfred se soucie de quoi que ce soit. Il avait un don presque oriental pour laisser les choses évoluer sans se faire de souci. Il ne se mêlait jamais des affaires des autres, et si les autres se mêlaient des siennes, il montait dans sa couchette, tournait le dos au monde et dormait.

Le solide rappel à l'ordre de la part des chasseurs, une petite mise au point sur ce que sont le tact et la mesure au nord du Cercle polaire avaient été pleins d'enseignement pour Hansen. Les chasseurs de l'est du Groenland étaient radicalement différents des bidasses qu'il avait maniés chez lui à Fredericia. Il

1. Voir « Le dressage d'un Lieutenant », dans *La Vierge froide et autres racontars, op. cit.*

était parti en tant que commandant en chef des forces est-groenlandaises, avec la bénédiction de l'armée et de la Compagnie, et à ce moment-là, ses hommes de troupe s'étaient attribué des prérogatives par rapport à un supérieur qui n'étaient pas seulement regrettables, mais aussi antinationales et positivement passibles de la cour martiale. Mais il n'y avait pas de cour martiale ici. Il n'y avait pas de cour du tout. Et cela avait rendu le Lieutenant si perplexe qu'il en était devenu presque humain. Il avait détourné son petit plaisir assassin des hommes sur le gibier, avait développé de nouvelles règles pour cet art martial et s'était étonnamment vite révélé un chasseur franchement habile.

C'est le Lieutenant qui proposa qu'avec le canot à moteur, ils mènent une offensive contre l'ennemi dans le Fjord des Glaces. Ça grouillait, paraît-il, de phoques à cet endroit. Mais Valfred ne voulait pas venir. Même quand Hansen le tenta avec bivouac confortable et cuisine roulante avec deux repas chauds par jour, dessert inclus, Valfred resta inébranlable. Il avait autre chose à faire que de batifoler dans le Fjord des Glaces pour quelques phoques marbrés. Le soleil chauffait encore assez pour rester assis sur une chaise dehors à somnoler, et les bœufs musqués paissaient sur les pentes vertes de Fimbul, venaient quand on les sifflait et se laissaient abattre sans formalité. C'est seulement quand le Lieutenant fit tinter deux bouteilles de genièvre qu'il avait achetées à bord de la *Vesle Mari* que Valfred baissa pavillon.

On prépara donc le canot à moteur de la station, la *Mule*, ainsi nommé parce que la manivelle de démarrage avait une fâcheuse tendance à regimber. Au milieu de l'embarcation, on installa une pail-

lasse de foin sec, Valfred s'y coucha et le Lieutenant prit place derrière le gouvernail. Et ils sortirent
de la baie de Fimbul en faisant douc-douc-douc.

Un militaire entraîné comme le Lieutenant
n'avait aucun mal à s'orienter. Les fjords couraient
comme des rues dans le quartier d'une vieille ville,
et Hansen savait qu'il devait tourner à gauche deux
fois de suite, puis une fois à droite, passer l'embouchure d'un fjord et enfin tourner à droite pour entrer
dans le Fjord des Glaces. Là, on trouvait le glacier
et les phoques.

Que Hansen se soit abandonné à la contemplation
de cette superbe nature, ou qu'il ait eu du mal à dis-
cerner les entrées des fjords en question, ça... Toujours est-il qu'après avoir réveillé Valfred, non sans
difficulté, il lui annonça qu'ils se trouvaient maintenant dans une mer libre de trois côtés, que la côte
était loin derrière eux et ressemblait aux dos d'une
horde de dinosaures au pacage.

Valfred se revigora avec une rapidité étonnante à
l'annonce de Hansen. Un regard rapide au-dessus
du bastingage et il put déterminer leur position
réelle.

— Doux Jésus ! Si tu continues dans cette direction, petit Lieutenant, dans quelques jours on pourra
accoster en Islande et y acheter de l'eau-de-vie rec-
tifiée.

Avec un gémissement, il quitta sa paillasse et prit
le gouvernail.

Le Lieutenant s'installa à la proue, repassant en
pensée sa navigation, afin de trouver l'endroit où il
avait bien pu se tromper.

Le soir venu, ils établirent un camp près du Fjord
des Glaces, dans une petite baie nommée la Baie

des Crocodiles. Non qu'il y ait des crocodiles, mais parce qu'il y avait deux rangées d'écueils dentés, invisibles à marée haute. La tente fut montée et le réchaud allumé.

La baie était incroyablement belle. Les restes de la glace de l'hiver brillaient à la manière de sculptures blanches, comme jetées par un artiste fou dans l'eau verte et paisible. Les seuls mouvements perceptibles, c'étaient les ombres des nuages d'été flottant et des petites ondes concentriques provoquées par la glace qui dégoulinait. A l'extrémité nord de la baie s'ouvrait une large vallée entre de sombres parois de montagnes. Le fond de cette vallée était couvert de bruyère en fleur et scintillait de couleurs bleues et violettes. Sur les parois sombres s'étalait une couverture de vieille neige d'un blanc sale et, au fond de la vallée, l'inlandsis se dressait comme une immense muraille noire.

Du Fjord des Glaces, on entendait le fracas du glacier qui glissait lentement. Le bruit venait comme l'écho de quelque chose d'infiniment lointain, impression renforcée par le son du ruissellement d'une chute d'eau toute proche. Même Valfred se laissa transporter par cette vision. Il lui sacrifia son premier sommeil et s'installa dans l'ouverture de la tente pour jouir du panorama.

— Eh oui, cher Hansen, dit-il à voix basse, toi, c'est pas à Fredericia qu't'aurais pu voir ça, sacré bon Dieu. C'est si joli que je crois que même le tatoueur[1] aurait pas été foutu de repiquer ça. Et crénom, c'est pourtant bien le plus grand artiste que j'aie jamais rencontré, je t'assure.

1. Voir « Le tatoueur », dans *La Vierge froide et autres racontars, op. cit.*

Le Lieutenant hocha la tête. Pendant longtemps, il n'arriva pas à dire un mot. Le soleil descendait entre les pics blancs des hautes montagnes et envoyait de larges faisceaux de rayons blanc argent sur l'eau verte et, par endroits, tout à fait noire du fjord. Ça brillait et étincelait de plaques de glace fragilisées par l'été, et les prairies, qui s'étendaient de la vallée jusqu'à la plage, devinrent rouge et rose dans le soleil du soir.

Derrière la baie, au fond du fjord, c'était le glacier. Il déboulait comme une large touche de peinture entre deux nœuds de montagnes qui s'élevaient jusqu'aux nuages. De la tente, on voyait comment il avait poussé en avant et suspendu sa langue comme une immense toiture au-dessus de l'eau.

Le Lieutenant soupira profondément. Il écoutait avec émerveillement la glace glisser lentement.

— C'est comme le roulement de tonnerre des canons, chuchota-t-il, ravi, à Valfred.

Valfred noua ses mains au-dessus de son ventre.

— Le tonnerre des canons, qu'tu dis, toi. Mais non, Hansen, c'est la nature tout bonnement, la pure et simple nature, voilà c'que c'est.

Le Fjord des Glaces grouillait de phoques. Sans cesse on voyait les petites têtes noires sortir entre les plaques de glace, des petits ballons ronds aux moustaches hérissées et de grands yeux candides. Quand Valfred sifflait de manière attirante, ils s'approchaient du bateau, poussés par la curiosité.

Les premiers jours, ils abattirent douze phoques marbrés qu'ils déposèrent près de la tente. Ils leur enlevèrent la housse, découpèrent les intestins et entreposèrent la viande sous un cairn. Ils jetèrent ce dont ils n'avaient pas besoin aux mouettes, qui survolaient le lieu de dépeçage en poussant des cris aigus. Le soir, le Lieutenant prépara des paupiettes, fit, selon la recette de Valfred, une soupe de nageoires de phoques, et servit des myrtilles fraîches dans de « l'eau de craie » en dessert. Ce fut une soirée délicieuse, suivie d'une bonne nuit d'un sommeil bien mérité.

Le lendemain, l'ivresse de la chasse saisit aussi Valfred. Il se leva déjà vers 10 heures, dégusta le magnifique petit déjeuner du Lieutenant, constitué d'une bouillie d'avoine suivie d'un café et d'un cigare. Ils firent résonner leur douc-douc-douc à l'intérieur du fjord, s'installèrent tout près du glacier. Ils avaient déjà trois phoques dans le bateau avant le déjeuner.

— Si ça continue comme ça, souffla Valfred, on risque de devoir bouffer de la viande de phoque tout l'hiver. Faudrait voir à se calmer un peu.

Il regarda autour de lui.

— Là-bas, vers le cap...

Il montra la terre avec son index.

— ... il y a d'habitude beaucoup d'angéliques. Tu peux faire une jolie salade avec les pousses, Hansen, surtout si tu trouves un peu d'algues fraîches aussi. Je propose d'y aller, et pendant que tu prépares le casse-croûte, je me couche pour réfléchir à ce qu'on va faire cet après-midi.

Hansen, à qui l'air maritime avait donné les crocs, acquiesça aussitôt. Il venait de s'installer les jambes écartées, devant la problématique manivelle de démarrage, quand l'accident se produisit.

L'immense surplomb de glace que le glacier avait poussé au-dessus de l'eau céda et tomba avec un fracas étourdissant. La vague, que ces milliers de tonnes de glace occasionnèrent, souleva la *Mule* vers le ciel, et Valfred hurla au Lieutenant de lancer le moteur.

Hansen tourna la manivelle. Mais le violent tangage du bateau l'empêchait de garder son équilibre.

— Démarre, Hansen! hurla Valfred qui, couché sur le matelas, s'agrippait de toutes ses forces.

Tout se passa si vite qu'aucun d'eux ne comprit la situation avant que tout soit fini.

L'énorme vague ébranla tous les icebergs autour d'eux. Celui qui était le plus près du canot à moteur se comportait comme un mouflet qui apprend à marcher. Il tourna son pied vert clair comme du cristal vers le ciel, glissa sous le bateau, qui dégringola sur la paroi lisse, jusqu'au moment où il se coinça dans une profonde crevasse intérieure. Les pieds de Hansen quittèrent les planches du fond, et, dans un superbe arc de cercle, il flotta par-dessus le bastingage et se retrouva dans l'eau, tête la première.

Valfred se redressa et regarda par-dessus bord avec étonnement.

— Hansen! hurla-t-il. Hansen, où es-tu?

L'iceberg bascula dans l'autre sens, vacilla un peu avant de recouvrer son équilibre. Puis l'eau se calma et la tête d'Hansen émergea. Il était bleu comme un Touareg repeint à neuf et soufflait de l'eau comme une baleine.

— Mais qu'est-ce que tu fous là, bordel! cria Valfred.

— J... je nage, haleta le Lieutenant, au s... au secours, je me noie.

Valfred se leva. Il grimpa vers le devant du bateau et lança l'ancre par-dessus bord.

— Prends ça, petit Hansen, j'te ramène.

Le Lieutenant empoigna le métal glacé, mais ses mains transies avaient perdu toute force.

— J'y arrive pas, Valfred.

58

— Alors attache-la à ton pantalon. Fais quelque chose, Hansen, sinon j'vais encore me retrouver seul pour l'année.

Le Lieutenant réussit à tortiller le derrière de manière qu'un des crochets se prenne à la ceinture de son pantalon. Et pour la deuxième fois dans sa courte existence en Arctique, on le tira d'une situation périlleuse.

Valfred le déshabilla jusqu'à la peau et le coucha sur la paillasse. Il quitta son propre pantalon et son chandail islandais, et les enfila sur Hansen. Ensuite il s'installa, dans son gilet de laine et ses longs caleçons feutrés, à la poupe.

— Hé, hé, Hansen. On a repris le dessus, hein ? Bordel de merde !

Hansen, dont la tête n'était pas encore claire, répondit, tremblant de froid :

— Pourquoi tu dégages pas, Valfred ? Imagine, s'il y a encore des morceaux qui tombent.

Valfred mâcha pensivement sa réponse avant de la livrer comme s'il voulait la déguster.

— Question glacier, y a pas de danger, Hansen. Il va pas vêler avant longtemps. Et question de partir, c'est sûrement plus facile à dire qu'à faire. C'est comme qui dirait qu'il n'y a pas vraiment assez d'eau pour l'hélice à cette altitude.

Le Lieutenant se leva sur un coude et regarda pardessus le bastingage. Il ouvrit grands les yeux quand il se rendit compte de l'endroit où ils se trouvaient.

— Mais... mais nous sommes à cheval, bégayat-il surexcité. Comment t'as réussi à monter le bateau jusqu'ici, Valfred ?

— Eh oui, hi, hi, ça c'est à voir. Si je dois être parfaitement honnête, eh ben, j'en sais foutre rien. Mais le plus important pour le moment, c'est peutêtre plutôt comment redescendre, répondit Valfred.

L'iceberg les berçait gentiment. Il tourna lentement le dos au glacier et continua son voyage vers l'embouchure du fjord. Le bateau se trouvait à environ dix mètres au-dessus de la surface de l'eau, et un diagnostic rapide révéla que la plupart des planches de la coque côté tribord étaient cassées.

— C'est sûrement la *Mule* qui t'a donné le dernier coup, soupira Valfred. Elle bâille atrocement, petit Lieutenant. Pour l'instant, l'endroit le plus sûr pour elle, c'est sûrement ici sur cette étagère. Je crains qu'elle ait méchamment soif si elle retourne à l'eau.

— C'est incroyable.

Le Lieutenant s'était réchauffé dans les vêtements de Valfred. Il regardait son compagnon avec des yeux ronds et vides.

— Comment on a pu atterrir ici comme ça, sans rien ?

— Bon, on peut p'têt' pas dire sans rien du tout, estima Valfred. La nature est capricieuse comme une bonne femme, Hansen. Mais t'as raison, c'est incroyable. Si quelqu'un me disait qu'il avait balancé son bateau à une dizaine de mètres de hauteur sur un iceberg, j'aurais bien rigolé, avec ma petite idée derrière la tête. Il y a des gens qui aiment raconter ce genre d'histoire, Hansen, et d'ailleurs y en a pas mal ici, parmi nous. Ça doit être la nature qui en est responsable. Tout devient comme qui dirait agrandi. On s'habitue à la grandeur, pour ainsi dire, et c'est sans doute pas un malheur non plus. C'est naturel, j'crois, exactement comme le fait qu'un chasseur, ou un marin, devient presbyte parce qu'il est toujours en train de regarder loin dans la géographie, et qu'un mangeur de livres devient myope parce qu'il a toujours un livre sous le nez.

Il glissa une main sur son crâne.

— Je dois avouer que je n'ai pas vraiment pu suivre quand c'est arrivé. Ça allait trop vite à mon goût. Comme tu sais, j'arrive mieux à saisir les choses quand elles se passent à une vitesse raisonnable. Mais le glacier a vêlé, l'iceberg s'est renversé, toi t'es tombé dans la bassine et moi, j'ai pris de l'altitude. Ça, c'est sûr.

Le Lieutenant hocha la tête.

— Nous devons surtout essayer de nous souvenir de tous les détails, dit-il, parce que le rapport à la Compagnie doit être précis.

Valfred se frotta le menton et eut un rire gras.

— T'inquiète pas, Hansen, on aura vite fait de leur concocter quelque chose.

Il regarda gentiment son compagnon.

— Pas de cuisine ici, corrigea Hansen, un rapport doit être objectif et rendre compte de tous les détails. C'est aussi valable dans une compagnie de chasse qu'à l'armée.

Valfred renifla.

— Bon, si tu veux, mais ça complique considérablement les choses. Parce que dans ce cas précis, la vérité peut être un peu difficile à établir. Comment, sacrebleu, veux-tu qu'on arrive à raconter une telle expédition au ciel d'un ton objectif et véridique ? Ça va pas, Hansen ! On va être obligés de godiller par-ci par-là pour donner à tout ça un ton véridique.

Au cours de l'après-midi, à bord de leur iceberg ils passèrent à la hauteur de leur campement à terre. La tente se dressait, grande, auréolée d'humidité et pleine de séduction. Les chasseurs la suivirent d'un lent regard. Surtout Valfred. Il pensait avec tristesse aux deux bouteilles de genièvre qui se trouvaient dans la caisse à provisions, maintenant en pure perte.

— C'est presque le pire, dit-il à mi-voix.

— Quoi ? demanda le Lieutenant.

— Les deux bouteilles que t'avais apportées. Maintenant elles sont là-bas, sans personne pour les garder. Imagine qu'un ours vienne et fouille dans la tente, ou qu'un troupeau de bœufs les écrase. Ça, ce serait la catastrophe.

— Dans ce cas-là, il n'y en aurait qu'une de perdue, sourit le Lieutenant, car l'autre se trouve dans mon sac à dos. Je l'avais apportée pour l'avoir à portée de main en cas d'urgence.

Valfred ouvrit tout grands les yeux.

— Mon Dieu ! Quel bon sens ! T'es vraiment un compagnon exceptionnel, petit Hansen.

Il lécha ses lèvres sèches.

— On pourrait peut-être appeler ça un cas d'urgence, non ?

Le Lieutenant fit une moue et prit le temps de réfléchir.

— Je ne sais pas, répondit-il. J'avais plutôt imaginé une jambe cassée ou quelque chose de ce genre. Je n'avais pas du tout pensé à ça.

— Mais il y a plein de choses cassées, rétorqua Valfred, et peut-être au moins aussi compliquées qu'une pauvre jambe. Je pense que n'importe quel toubib raisonnable prescrirait un formidable schnaps pour toutes ces choses et pour le moral, tu comprends ?

Ils sortirent la bouteille du sac à dos et en aspirèrent chacun un schnaps. Hansen prit des couleurs et Valfred grogna joyeusement à l'idée qu'il restait encore bien vingt-six schnaps sans faux col dans la bouteille.

— Voilà, Hansen. L'existence a beaucoup de visages et celui-ci n'est pas le pire que j'aie vu, dit-il d'un ton encourageant. Beaucoup de gens ont dû couvrir de longs parcours moins bien équipés que nous.

Il regardait la bouteille de genièvre avec tendresse.

— Dans les grandes lignes, faut bien reconnaître que la vie est surprenante et merveilleuse à vivre.

Le Lieutenant ne répondit pas tout de suite. C'était comme s'il n'était pas tout à fait sur la même longueur d'onde que Valfred. Il regardait encore fixement vers le campement qu'ils dépassaient lentement, et se languissait terriblement de son sac de couchage, de la bruyère sous les bottes et, surtout, de vêtements secs. Les habits de Valfred avaient été une bénédiction tant qu'il avait froid, mais maintenant qu'il s'était réchauffé, leurs relents lui étaient presque insupportables.

— Tu crois qu'il est tout à fait impossible d'y aller? demanda-t-il enfin.

— Pas impossible, répondit Valfred. Parce que rien au monde n'est impossible, Hansen, en tant qu'ancien militaire, tu devrais savoir ça. Si le physique est en ordre, et avec un peu de bol, on devrait pouvoir y arriver. Mais ça exige une bonne et solide plaque de glace comme ferry. Nager jusqu'à terre, ça, pas question : personne ne peut tenir dans ce congélateur plus de quelques minutes. Hé, hé, tu aurais dû avoir de la graisse de phoque sous la peau, Hansen, et des palmes entre les doigts de pieds, et là t'aurais sûrement réussi. Mais fait comme t'es fait, te voilà obligé de prendre ton parti, ici, à l'étage.

Allongé sur le matelas, il se délectait. Le soleil était chaud et généreux et Valfred savait qu'il continuerait à l'être, vingt-quatre heures sur vingt-quatre.

— Et d'un autre côté, on n'est pas dans le besoin, continua-t-il peu après. Nous avons de la viande en surabondance, dit-il avec un hochement de tête en direction des trois phoques qu'ils avaient descendus, et nous avons un réchaud, une casserole et plein de pétrole dans le réservoir. En plus, nous avons du schnaps et nous sommes transportés gratis Dieu sait où. Ça aurait pu être pire.

— N'empêche.

Quelque chose chez le Lieutenant protestait. Là-bas il y avait la tente. Si près qu'il en distinguait chaque hauban. Si près, et pourtant aussi loin que si elle se trouvait sur la côte de la Chine. Il avait du mal à se faire à l'idée que leur seule chance d'un futur contact avec le monde extérieur dépendait de cette masse de glace compacte. Hansen était obligé de suivre l'iceberg là où il voudrait aller. Angoissé par cette situation, il dit :

— Qui sait si on va jamais descendre d'ici ?

— Alors là, je peux te promettre qu'on va descendre.

Valfred se mit le bras sous la tête.

— Parce que c'est pas du tout impossible que cette cochonnerie chavire encore une fois. Et à ce moment-là, tu descendras plus vite que t'aurais voulu. Mais en supposant qu'il se tienne tranquille pendant quelques mois, il fondra à peu près à la hauteur de New York. Ça, c'est clair.

Hansen frissonna. Il n'avait pas spécialement envie de retourner à l'eau, et pas la moindre envie de visiter New York.

— Qu'est-ce qu'on devrait faire, à ton avis, Valfred ? demanda-t-il.

— Eh oui, qu'est-ce qu'on devrait faire ?

Valfred regardait le lumineux ciel d'été.

— Si tu veux, on peut poster un gardien pour la forme, et pendant ce temps-là, l'autre peut se retirer quelques heures sous sa couette.

Le Lieutenant grimpa à la proue.

— Je prends le premier quart.

— Au poil, murmura Valfred, et je me siffle un petit coup, histoire de me calmer les intestins. T'en veux ?

— Non, merci.

Hansen redressa le dos et fixa son regard aigu au-dessus de la Baie des Licornes dans laquelle ils se trouvaient maintenant.

— Je ne bois jamais en service.

Valfred pinça le bouchon hors de la bouteille.

— Dieu te bénisse, petit Hansen. Alors ça ne te fait peut-être rien si je siffle ta ration à toi. Je veux dire par là qu'il vaut sans doute mieux garder un nombre pair de schnaps dans la bouteille.

— Vas-y.

Le Lieutenant plissa les yeux et prit un air vigilant.

— Hé, hé.

Valfred clappa, frais et dispos après s'être rincé les gencives plusieurs fois.

— Hé, hé, avec une vigie de cet acabit, on peut tranquillement embrasser le foin une heure ou deux. Chante quelque chose, Hansen. Ça t'aidera si tu fatigues, et moi, ça me gêne pas.

Ils débouchèrent dans la mer du Groenland par marée basse et mirent le cap plein sud car l'énorme pied de l'iceberg plongea dans le courant froid de l'est du Groenland. Valfred dormait profondément, avec force bruits, et le Lieutenant montait la garde. Assis et pas qu'un peu inquiet, il regardait la mer infinie. Il pensait que la vie était vraiment plus compliquée et instable qu'il n'aurait souhaité en fait, et de temps en temps, il se laissait aller à quelques pensées nostalgiques pour sa paisible ville de garnison et la tranquillité de la vie militaire. Il se rendit compte clairement que ç'avait été un temps extrêmement agréable, une sorte d'éternel repos où l'on pouvait toujours placer les responsabilités plus haut ou plus bas, selon les besoins. Ici tout était différent. Au centre d'une assez grande superficie, il n'y avait que Valfred et lui, et ils se trouvaient maintenant dans un bateau, sur un iceberg, à dix mètres au-dessus d'une mer salée. Ici, il n'y avait personne à qui avoir recours. Personne pour donner l'ordre adapté. Pas de supérieur sur qui s'appuyer, personne pour prendre la responsabilité, sauf si on comptait Valfred comme responsable en vertu de sa position de chef de station. Mais Valfred ne faisait que dormir et prenait tout avec un calme oppressant.

Hansen pensa longuement à tout cela. Et plus il pensait, plus il se rendait compte que la réaction de Valfred était probablement la meilleure. Parce qu'en réalité, il n'y avait pas grand-chose d'autre à faire que de se relaxer et de piquer un roupillon. Au fond, il n'y avait pas besoin de vigie. Ici, il n'y avait pas de bateau, pas de gens, rien d'autre que la mer, la glace et la côte lointaine. Et quand les yeux d'Hansen commencèrent à ciller, il renonça, posa les bras sur le bastingage et s'endormit.

Valfred se réveilla le premier. Il se redressa brutalement et étendit le bras vers la bouteille de genièvre.

— Qu'est-ce que je me disais, murmura-t-il, non, c'était pas simplement un cauchemar. Maintenant il est brûlant à cause du soleil. Putain de schnaps du matin.

Il déposa précautionneusement la bouteille et tira son long couteau de chasse de sa gaine. Assis sur le bastingage délabré qui faisait face à l'iceberg, il se mit à creuser la glace. Le crissement et quelques éclats de glace réveillèrent le Lieutenant.

— Qu'est-ce que tu fais, Valfred ? Le mur te gêne ?

— Frigo, Hansen. Le schnaps est bouillant et on peut pas infliger ça à un bon schnaps comme ça.

Il tapait, et fouillait, et creusait avec le couteau, les copeaux de glace sifflant autour de lui.

— Quand j'aurai fini ce meuble-bar, tu pourrais peut-être continuer avec un congélateur de bonne taille, Hansen. Il faut congeler la viande de phoque, tu comprends, avant qu'elle ne se gâte avec cette chaleur.

Il rentra un bras dans le trou et balaya au-dehors les éclats de glace.

— Voilà, maintenant je mets la bouteille à refroidir. Si tu prépares le congel, moi, je dépèce nos trois copains là, et après je prépare le café.

Une nouvelle journée sur l'iceberg avait commencé. Et quelle merveilleuse journée ! Ciel haut et bleu sombre, soleil chaud comme un four. La glace dans la mer était dispersée, et ils voguaient à une bonne vitesse de croisière en direction des Antilles.

Quand le Lieutenant eut fini son trou profond et qu'ils en étaient au café et au schnaps du matin, maintenant refroidi, il proposa à Valfred de partager les provisions en rations quotidiennes. Mais Valfred pensa que c'était idiot parce que personne ne savait combien de jours devait durer leur villégiature sur l'iceberg.

— On bouffe ce qu'on a, Hansen, et quand y en

aura plus, on en retrouvera. Le pire, c'est pour l'eau-de-vie. Ça, ouais, faudrait peut-être la rationner.

Il regarda le petit trou noir d'un air pensif.

— Mais d'un autre côté, un seul schnaps par jour, c'est positivement de la torture. Buvons plutôt ce qu'il y a, et quand ce sera fini, on se privera.

Il secoua la tête et se mit à glousser.

— Hé, hé, cette histoire d'être privé de boisson me rappelle d'ailleurs le pire hiver que j'aie jamais vécu. Il y a une dizaine d'années de ça, environ, j'avais un compagnon qui était un peu à côté de la plaque, tu vois. Plus tard, il s'est d'ailleurs pendu à une poutre du plafond chez lui, mais ça, c'est une autre histoire.

Valfred pêcha une chique dans sa poche et lui enleva les moutons.

— C'était un hiver terrible, Hansen. D'abord un vent de foehn dégringola de l'inlandsis, putain, ce que c'était pénible, ces rafales qui contenaient de la pluie, de la grêle et tout le bataclan. Le vent était si fort qu'un tonneau entier d'huile avec quelques centaines de litres de pétrole fut soulevé de la plage et transporté jusqu'à la maison, le séchoir à viande, avec toutes les provisions d'hiver, partit au diable et le carton bitumé fut arraché de la toiture. Quelle tempête, Hansen, t'aurais vu ! Et au bout de quelques jours de vent et de pluie, le temps s'est transformé aussi brutalement en un froid glacial avec un terrible vent du nord. Il faisait tellement froid, Hansen, qu'on n'osait pas pisser à l'air libre par peur de geler avec le jet. Quel cirque ! D'abord la pluie qui balaie toute la neige, et ensuite la pluie qui gèle. Tout était verglacé ; un vrai miroir. Les montagnes devenaient de véritables toboggans, et les bœufs qui y étaient montés à cause de la chaleur descendaient sur le cul en se cassant les jambes et le cou. On ne pouvait aller nulle part. Les chiens se déchiraient les pattes sur la glace nouvelle, et quand enfin la neige se mit à tomber, ça n'arrêtait plus. Ça a déboulé du ciel pendant trois semaines sans arrêt. Ça, c'est ce qui s'appelle neiger, Hansen. A chaque instant, ça s'accumulait au-dessus de la cheminée, il fallait sortir et l'enlever à coups de pelle pour avoir du tirage pour la cuisinière.

Par souci d'économie, Valfred retira sa chique de la bouche et la remit dans sa poche.

— Bon, c'était pas ça le pire, continua-t-il, parce que pourvu qu'on soit dedans, au chaud, avec de quoi bouffer, on supporte bien des choses. Non, ce qu'il y avait de terrible, c'est que la tempête avait tellement secoué l'étagère au-dessus de ma couchette que deux bouteilles de rectifié et toute l'usine à distiller tombèrent sur le parquet. J'ai été pompette une journée entière avec la langue pleine d'échardes parce que j'avais lapé l'eau-de-vie à même le sol. L'alambic foutu, c'en était fini des boissons alcoolisées pour des mois. Quel hiver ! J'espère pour toi que t'auras jamais à vivre un pareil hiver. C'est d'ailleurs dommage que tu n'aies pas amené l'autre bouteille aussi, mon petit Hansen, une bouteille par personne n'aurait pas été de trop ici, en pleine mer.

Le Lieutenant haussa les épaules avec regret. Il avait réfléchi au cours des choses pendant que Valfred bavardait, et décida de proposer un plan d'évacuation. Comme Valfred ne saisissait pas ce qu'il voulait dire, il essaya de s'expliquer.

— Oui, tu vois, dit-il, il faut supposer que quelque chose va se passer. Et quand ça se passera, faudrait pas être pris au dépourvu.

Valfred hocha la tête. Jusqu'ici il suivait. Encouragé, le Lieutenant continua :

— Nous devons envisager toutes les possibilités qui peuvent se présenter. Par exemple, que l'iceberg arrive si près de la côte qu'il s'échoue, ou bien qu'il chavire encore une fois, se fissure et coule au fond.

Valfred hocha à nouveau la tête.

— Et alors, Hansen ?

— Ben alors, faut être prêts à une évacuation. Nous devons savoir exactement ce qu'il faut faire dans chaque situation.

Valfred étendit la main et baissa le réchaud.

— C'est franchement futé ce que tu dis là, Hansen, et ça prouve que t'es assez doué. Mais ça marche pas. Si l'iceberg s'échoue, comme tu dis, on n'a qu'à descendre et rentrer chez nous à pied, si c'est pas trop loin. Mais si une des autres choses que tu mentionnais arrivait, mieux vaudrait ouvrir toute grande la gueule et avaler l'eau de mer pour en finir le plus vite possible. Ton histoire de plan ne marche pas. T'arrives trop tard, Hansen. Parce que, évacuer, c'est bien beau, mais pour aller où ? C'est pas vraiment clair. Je crois pas qu'il faut trop se casser la nénette à ce sujet, sauf pour trouver des distractions. Pourquoi on n'a même pas un jeu de cartes ? Sacré bordel !

Le Lieutenant vida donc les plans d'évacuation de son esprit et essaya de trouver d'autres activités utiles. C'était un petit homme zélé et travailleur qui avait du mal à rester tranquille, à se réjouir d'une croisière.

— On pourrait tailler des marches jusqu'à l'eau, proposa-t-il, peu après.

Valfred resta bouche bée.

— Des marches, tu dis ? Que veux-tu faire avec

des marches, Hansen, si je puis me permettre de te poser la question ?

— Ça fait toujours du bien d'avoir des marches.

Il défendait bravement son plan.

— Peut-être arrivera-t-il quelque chose où des marches seraient utiles.

Inquiet, Valfred secoua la tête. La proposition lui rappelait curieusement son ancien compagnon fou, celui qui s'était pendu au plafond, et il savait par expérience qu'il ne fallait pas contrarier ce genre de particulier.

— Bon, bon, d'accord, si t'as envie de tailler des marches, c'est pas moi qui vais t'en empêcher, dit-il. Mais au nom du ciel, ne retombe pas à l'eau, ça me rend nerveux de te voir comme ça.

Et le Lieutenant Hansen entreprit de tailler ses marches. Il se noua une corde autour de la taille, l'arrima au banc de nage et passa par-dessus bord, le couteau de chasse de Valfred à la main. Toute la journée et la moitié de la nuit, il tailla et racla dans la glace. Il confectionna de jolies marches spacieuses, légèrement inclinées vers l'intérieur ; impossible d'en trouver de pareilles sur aucun autre iceberg dans le monde entier.

De temps à autre, Valfred passait la tête par-dessus le bastingage pour jeter un coup d'œil. Il ne disait rien, parce qu'il n'avait encore rien compris à cette histoire de marches. Mais il pensait qu'Hansen était gentil et agréable, et que s'il voulait des marches pour monter à l'étage, c'était son problème.

Valfred promit de faire une sorte de guet la nuit suivante. Il se coucha sur le matelas, tandis qu'Hansen, épuisé, se hissait par-dessus bord après le dur labeur de la journée, prit un schnaps, installa l'écope sur sa tête pour ne pas être gêné par le soleil nocturne et s'endormit sur-le-champ. Le Lieutenant s'était préparé une couche avec son sac à dos, un bout de toile de voile et le chandail islandais de Valfred. Il était fatigué, mais satisfait de son travail de la journée et s'endormit rapidement avec de petits halètements nobles qui faisaient ondoyer sa moustache.

Au bout de neuf jours de navigation, ils passèrent le Cap Nibot, le point le plus au sud sur la côte que Valfred connaisse. Ce jour-là, la viande de phoque vint à s'épuiser.

— Ça, c'est vilain, dit Valfred, maintenant nous n'avons ni eau-de-vie ni nourriture.

Il sortit son fusil et le chargea.

— Vaudrait mieux descendre un phoque avant d'avoir trop faim, Hansen.

Le premier phoque qu'il toucha rendit l'âme sur le coup. Il flottait immobile dans l'eau quand ils le dépassèrent lentement.

— Comment l'attraper, Valfred ? demanda le Lieutenant.

— Bonne question, grommela Valfred. Je crois que l'air du grand large nous émousse un peu et nous empêche de penser clairement. Voilà que nous avons préparé le déjeuner pour les crevettes.

Il s'assit, sortit sa pipe et commença à la bourrer.

— Il faut que je réfléchisse un peu, dit-il.

Au bout d'un certain temps, il trouva la solution.

— Si tu te places sur la dernière de toutes ces jolies marches que t'as fabriquées, Hansen, et si en plus tu as une corde autour du ventre, tu peux essayer d'attraper le prochain que je vais descendre.

Le Lieutenant le regardait, les yeux plissés.

— Tu veux dire que je dois sauter dans l'eau pour l'attraper ?

— C'est à peu près ça. C'est pas une mauvaise idée, n'est-ce pas ?

Valfred sourit.

— Tu es en quelque sorte plus habitué à l'élément froid, tu as comme qui dirait plus d'expérience dans ce domaine que personne d'autre à bord. Qu'en penses-tu ?

Le Lieutenant ne débordait pas d'enthousiasme. Valfred sut se faire persuasif, et, au bout d'un certain temps, Hansen dut admettre que c'était leur seul moyen de remplir le congélateur. Il se noua donc une corde autour de la taille et descendit, le cœur lourd, jusqu'au pied de l'iceberg.

Il se passa presque une heure avant que Valfred eût à nouveau ses chances avec un phoque. Il sifflait, appelait, et le phoque, un grand phoque barbu, s'approchait après chaque plongée. Quand il se trouva à la distance d'un long crachat du Lieutenant, Valfred tira. La balle frappa à travers la couche de graisse et le phoque s'immobilisa.

— Allez, Hansen, cria Valfred, à la flotte !

Il posa le fusil sur les genoux et entreprit posément d'allumer sa pipe.

Le Lieutenant respira à pleins poumons et décolla. Il avait bien calculé et remonta essoufflé juste derrière les nageoires du phoque qu'il agrippa.

— Tire à bord, Valfred, gémit-il.

Valfred posa son fusil et se mit à tirer.

Mais il se trouva que le phoque n'était pas mort du tout, comme Hansen aurait pu le souhaiter. La balle avait touché le côté de la tête et l'avait simplement assommé. Quand il sentit les mains du Lieutenant autour de ses nageoires, il se réveilla et donna un coup agacé avec l'arrière du corps.

— Il est vivant, hurla Hansen hystérique, Valfred, il est vivant !

— Ça m'en a tout l'air, dis donc, grogna Valfred.

Il attrapa le fusil mais il lui était impossible d'ajuster son tir. Le phoque bougeait en permanence. Il nageait en grands cercles, plongea un court instant et sauta à moitié hors de l'eau, avec Hansen toujours à la traîne.

— Vaut mieux lâcher le bifteck, Hansen, cria Valfred, j'arrive pas à viser tant que tu restes accroché comme ça.

Mais Hansen ne lâchait pas. Ses mains empoignaient les nageoires comme des griffes d'acier, et il avait beau souhaiter lâcher, ça lui était impossible. Il avait des crampes dans les bras et les doigts, et ne contrôlait plus du tout ses muscles. Il était entraîné derrière le phoque, à une vitesse folle, un sillage d'écume derrière lui.

A la fin, Valfred tira ; la balle siffla au-dessus des mèches noires du Lieutenant et se logea dans le pli de la nuque, à l'arrière de la tête du phoque. Ce qui eut un effet immédiat sur le phoque : un sursaut, quelques spasmes ; c'en était fait.

— Tiens le coup, Hansen, cria Valfred, encourageant. Je vous ramène.

Hansen tenait bon. Il ne pouvait d'ailleurs rien faire d'autre. Et Valfred le tira jusqu'à l'iceberg et noua la corde dans le tolet.

— Vas-y, monte sur les premières marches, Hansen, mais ne lâche pas le truc avant que j'arrive.

Mais Hansen était hors de portée de voix. L'expérience avait été trop forte et l'eau trop froide. Il restait collé contre le phoque, les yeux fermés.

Valfred regardait en bas.

— Qu'est-ce qui se passe encore ? Il aurait rendu l'âme aussi ?

Il enjamba le bastingage précautionneusement et

descendit les marches. Une fois en bas, il sortit son couteau et fit quelques trous dans la peau du phoque. Ensuite il dénoua la ligne de sauvetage d'Hansen et ligota le phoque avec.

Il lui était impossible de séparer Hansen des nageoires. C'est seulement après les avoir coupées qu'il put hisser son compagnon détrempé.

— Quel chasseur! murmura Valfred plein d'admiration. Il n'est pas du genre à lâcher aussitôt son butin.

Cette fois-ci, il fallut bien plus de temps pour ranimer le Lieutenant. Valfred frotta tout le corps maigre et bleuâtre avec son gilet de laine, fit bouillir du thé, qu'il lui donna à la cuillère, l'installa sur le matelas, couvert du tricot islandais, du sac à dos et d'un morceau de toile triangulaire. Quand il eut ainsi fait ce qu'il pouvait pour son camarade, il redescendit les marches pour s'occuper du phoque.

C'était un sacré gaillard d'une centaine de kilos, et il le dépeça dans l'eau comme il le pouvait. Il découpa la viande en morceaux assez petits pour pouvoir les lancer dans le bateau. Et c'est un de ces morceaux de viande crue qui ramena Hansen à la vie. Il fut touché juste sous le nez et sursauta.

— Du renfort! cria-t-il de toutes ses forces.

— Pas la peine, Hansen, j'ai presque fini, répondit Valfred du pied de l'iceberg. Quel compagnon, murmura-t-il, il est à moitié mort de froid et veut pourtant aider!

Hansen se laissa retomber sur le foin, calmé par la voix de Valfred. Il pensait vaguement que quelque chose avait dû se passer, mais il n'arrivait pas à comprendre quoi. Il se sentit froid et humide, surtout dans les mains, et quand il les leva devant ses yeux, il vit que chacune d'elles empoignait une nageoire de phoque découpée et sanguinolente. Et le Lieutenant sombra dans le noir.

Valfred ne pleura pas ses mots pour féliciter le Lieutenant. Il revenait sans cesse à cette remarquable obstination qui l'avait empêché de lâcher sa prise, même dans un état d'inconscience.

— Il n'y a pas beaucoup de gens comme toi, Hansen, dit Valfred chaleureusement. J'ai rencontré un certain nombre de chasseurs au fil des années, mais jamais quelqu'un de ton calibre.

Hansen s'ébrouait, buvant du petit-lait sur le matelas. Inutile de dire à Valfred que son plus profond désir pendant tout son séjour sous l'eau avait été de lâcher le phoque.

— On a acquis un minimum de discipline, dit-il donc modestement, voilà tout.

Valfred hocha la tête. Cette histoire de discipline était certainement quelque chose à inscrire sur ses tablettes, pensa-t-il.

Le vingt-troisième jour sur l'iceberg, il vit de la fumée. C'était seulement une fine spirale qui montait par-dessus la glace vers le nord-ouest.

— Dis donc, je crois que nous nous approchons de régions habitées, s'écria Valfred joyeusement.

Hansen, hypnotisé, fixa le filet noir.

— Tu crois qu'il y a des maisons là-bas ? demanda-t-il.

— C'est possible. Mais ça, c'est pas la fumée d'une maison, n'importe quel idiot verrait ça. Ça vient d'un bateau.

Le Lieutenant sursauta.

— Un bateau ? cria-t-il. Il vient par ici ? Tu crois qu'ils nous voient ?

— Pardi, c'est difficile à dire. On se voit sûrement pas très facilement sur cette étagère, mon petit Hansen. On ressemble tout au plus à quelques stries dans tout ce blanc.

— Il faut faire quelque chose, s'empressa le Lieutenant. On peut pas les laisser nous dépasser comme ça, sans façon. Fais quelque chose, Valfred.

— Voyons d'abord s'ils s'approchent vraiment. Peut-être qu'ils vont complètement à l'opposé de l'iceberg.

— Ils doivent nous voir !

Le Lieutenant passa le tricot par-dessus la tête et commença à l'agiter.

— Tu crois qu'ils le voient ?

Valfred rit.

— Faudrait peut-être le laver d'abord, hé, hé, mais peut-être qu'ils arrivent à le sentir.

C'était bien, comme l'avait dit Valfred, un bateau. Quelques heures plus tard, ils voyaient toute la coque et, peu après, Valfred annonça que le bateau s'appelait *Lumière Polaire* et était originaire d'Ålesund.

« Il a peut-être livré des provisions dans un des comptoirs, pensa-t-il, et maintenant il est sur le retour. »

Hansen hocha la tête, absent. Il faisait encore des signes avec le tricot, qu'il avait maintenant noué autour d'une rame.

— Ils ne peuvent pas ne pas nous voir, dit-il presque en pleurant. Ils sont aveugles s'ils nous voient pas, n'est-ce pas, Valfred ?

— Donne-leur encore une heure, Hansen, à ce moment-là t'auras une chance. Couche-toi et reste tranquille. Tu vas te fatiguer si tu continues comme ça.

Mais une heure plus tard le *Lumière Polaire* avait disparu de leur vision. L'iceberg s'était malicieusement tourné avec le courant et cachait ses habitants à la vue perçante de l'homme de vigie. C'est seulement quand le rafiot les eut dépassés de quelques centaines de mètres qu'ils furent à nouveau visibles.

Le Lieutenant gesticulait et criait comme un fou, mais en pure perte. L'homme de quart regardait droit devant lui et ne manifestait aucun intérêt pour l'iceberg qu'il venait de dépasser.

— Mais fais donc quelque chose, Valfred, couina le Lieutenant, arrête ces imbéciles !

Valfred hocha la tête avec bonhomie.

— Bon alors, je vais être obligé de le faire, dit-il, si tu veux vraiment changer de navire, Hansen.

Il vida sa pipe en la tapant contre le bastingage et sortit son fusil.

La première balle toucha la cloche de bord. Elle sonna quatre coups hauts et nets, ce qui faisait deux de trop. Le capitaine sortit comme une bombe de son kiosque de navigation pour passer un savon au matelot de garde. Celui-ci regarda en bas de l'échelle, le pont et enfin la cloche, interloqué.

Au coup suivant, Valfred toucha la lanterne de tribord. Le capitaine, qui était en train de retourner à l'intérieur de son kiosque de navigation, fit volte-face et sauta jusqu'au bastingage. Il se pencha et ramassa quelques débris qu'il examina soigneusement. La troisième balle pénétra dans la boiserie, à un mètre cinquante du visage en feu du capitaine et la quatrième arracha quelques gros éclats à la rampe de la passerelle. C'est seulement à ce moment-là que le capitaine réagit. Il sauta à l'intérieur et lança le stop sur le transmetteur d'ordres, et, peu après, il expliqua, avec force gesticulations, à son second et à quelques matelots ce qui venait de se passer.

Valfred reposa son fusil sur ses genoux et tira sur sa pipe.

— Voilà, maintenant ils sont au moins stoppés, mon petit Hansen, si tu veux, tu peux te remettre à remuer un peu ton tricot.

Il tira sur la pipe jusqu'à ce qu'elle brûle bien, et leva alors à nouveau le fusil.

— Vaut peut-être mieux leur donner la direction aussi, dit-il en tirant six coups de suite.

Cette fois, il troua un seau d'ordures que le cuisinier était en train de vider par-dessus bord. Le cuisinier hurla, indigné, et regarda côté mer. Ses yeux furent attirés par les coups suivants de Valfred, qui rapidement amena le regard du cuisinier jusqu'à l'iceberg : ils étaient découverts.

Ils virent la yole descendre le long du flanc du bateau et constatèrent qu'on l'équipait. Ils entendaient les ordres du capitaine et le grincement des rames dans les tolets. Le Lieutenant était assis dans la *Mule* et Valfred jouissait de la vie sur la paillasse. Leurs regards se croisèrent un court instant et ils ressentirent la même chose.

La camaraderie est une étrange chose. Difficile à trouver et accordée à bien peu d'élus. En revanche, c'est aussi très difficile à casser. Le Lieutenant n'avait jamais eu de camarade. Mais à cet instant, il comprit que Valfred allait en devenir un. Valfred avait pressenti le camarade en Hansen, dès le jour où il l'avait expédié pour un petit rafraîchissement dans une crevasse de glacier à Kap Thompson.

— Oui, Hansen, c'est la fin du voyage, dit Valfred, un éclair dans l'œil.

— T'inquiète, on aura certainement d'autres occasions de voyager, répondit le Lieutenant avec un sourire. Il y a beaucoup de fjords et beaucoup d'icebergs, Valfred.

Il se leva et ramassa son sac à dos. Il emporta la bouteille de genièvre et les nageoires de phoque comme souvenir. Quand il descendit les escaliers, il tapota tendrement les parois lisses de l'iceberg.

La yole du *Lumière Polaire* accosta et le capitaine tendit la main en souhaitant la bienvenue.

— Que diable faites-vous donc là-haut, demanda-t-il en tonnant, où allez-vous ?

— Nous étions comme qui dirait une sorte de passagers clandestins, répondit Valfred avec un grand rire, sur le retour pour Kap Fimbul.

Le capitaine rigola à son tour.

— Sacré bon Dieu de bordel de merde ! Et depuis combien de temps vous êtes en route ?

— Un petit mois, répondit Valfred en hochant la tête vers le *Lumière Polaire*. Et vous, où allez-vous ?

— Nous allons à Copenhague.

Le capitaine poussa pour s'écarter de l'iceberg et les matelots mouillèrent les rames.

— Copenhague, répéta Valfred.

Il regarda l'iceberg, puis il regarda le Lieutenant.

— Quel bordel, Hansen, ça fait un sacré détour !

Ce qu'il advint d'Emma par la suite

ou l'indécrottable positivisme de l'Islandais Fjordur...

Ce qu'il advint d'Emma par la suite ? Oui, excellente question. Mais qui était Emma au fond ? Une bonne femme dépravée qui hantait la côte depuis longtemps ? Une aventurière débordant de vie ou une jeune fille candide qui voulait simplement du bien à tout le monde ?

Emma était tout ça et bien plus encore. Elle était connue des chasseurs longtemps avant d'arriver en personne, et elle était aimée à Ålborg, d'où elle venait, dans tout le Danemark et presque partout dans le monde. Parce qu'Emma existe et a depuis toujours existé dans le cœur de presque tous les hommes. La plupart d'entre eux connaissent leur Emma et l'adorent. Une grande fille saine et bien faite, avec des joues comme des beignets aux pommes, et ronde juste comme il faut, devant comme derrière. Une compagnie agréable et amusante quand la solitude pèse ou quand le mauvais temps cloître les gens.

Emma vécut dans les cabanes de chasse un long hiver, un printemps, puis une grande partie de l'été qui suivit. Pendant cette période, elle passa de main en main comme une pièce de deux sous, toujours la bienvenue et sans jamais rien perdre de sa valeur. Elle apportait le plaisir et le divertissement, et devint un inépuisable sujet de conversation.

Ici, on va, en toute modestie, essayer de raconter comment se déroula son séjour dans le nord-est du Groenland. Comme on le sait, Emma était, au début, la petite amie de Mads Madsen ; idée lumineuse qui lui vint un soir d'automne où il était à court de récits passionnants. Récemment revenu d'Europe où il avait séjourné pour se « démagnétiser », il aurait dû avoir beaucoup de choses à raconter. Alors surgit Emma. Il la créa sur place, à Kap Thompson, comme un nouveau Bon Dieu, la fabriquant, pour ainsi dire, à partir de rien. D'un coup elle fut là, fin prête, au point que même son compagnon, William le Noir, la voyait.

Son charme était pour ainsi dire sans limites. Elle avait toutes les vertus et tous les vices, ce que toute bonne femme ferait bien d'avoir, elle était douce et bonne comme la brise du printemps, ronde et appétissante comme un cochon de pâte d'amandes et avec ça, câline et folâtre comme un jeune chiot.

Mads Madsen avait à peine eu le temps de faire sa connaissance que William tombait follement amoureux d'elle. Et comme Mads Madsen avait un cœur d'or, il céda ses droits sur Emma à William en échange d'un 30/30 presque neuf, à double canon, et de vingt paquets de cartouches.

William vécut heureux longtemps avec la fille. Mais en son for intérieur, il savait pourtant qu'elle était une compagnie si délicieuse que ce n'était pas très joli de la garder éternellement pour soi. Ainsi, quand Bjørken de Bjørkenborg lui déclara son affection pour la jeune fille, William la laissa partir en échange du dragon cracheur de flammes qui était tatoué sur la peau du dos de Bjørken. Et ainsi commença le long voyage d'Emma.

Bjørken brûlait pour Emma. Aucun doute là-dessus. N'importe quel homme doté d'un minimum de santé se serait échauffé pour elle. Mais Bjørken était, aussi, presque chauffé à blanc d'envie pour les jumelles télescopiques de Lodvig et ça, depuis des années. Emma eut donc à peine le temps de vivre une passion avec Bjørken qu'elle passait à Lodvig. Voici à peu près comment les choses se passèrent.

Bjørken arriva à Ross Bay au meilleur moment. Lodvig avait des sautes d'humeur et dépérissait, suite à tout ce qu'il ne pouvait pas avoir. Ce genre de chose vous tombe souvent dessus pendant la période sombre et ça peut être difficile de vivre avec. Plus rien dans le quotidien n'est un plaisir, et seul ce qui est hors d'atteinte présente de l'intérêt.

On reste assis dans sa cabane à grommeler, mal dans sa peau. On se couche sur sa paillasse parce qu'on n'a pas envie de sortir et parce qu'on est trop fatigué pour rester là, penché sur la table. On gît, la couverture de laine sous le nez, et on rêvasse à toutes sortes de choses qui, vu les circonstances, sont inaccessibles. On fixe le vide de la pièce à travers l'haleine froide qu'on exhale à la manière d'un brouillard, on se sent vraiment damné, et c'est surtout la pensée des femmes qui obsède et qui mine.

La rumeur d'Emma avait fait toute la côte. Elle était arrivée chez Lodvig aussi. Peut-être était-ce justement cette rumeur qui l'avait mis de méchante humeur. Il avait beaucoup pensé à elle ces derniers temps, ce qui n'avait rien d'agréable, car elle était à quelqu'un d'autre et donc intouchable. Et voilà que Bjørken déboule en disant qu'il était devenu l'unique propriétaire de la fille, ce qui eut des effets immédiats et bénéfiques sur l'humeur de Lodvig. Il lui rentra droit dans le lard. Bjørken avait la fille, Lodvig avait besoin de stimulation. Et Bjørken n'était qu'un vieux débris qui ne devrait pas importuner une jeune fille avec sa sénilité. Raison pour laquelle Lodvig pensait que Bjørken devrait se dessaisir d'Emma au profit d'un copain plus jeune et dans le besoin, et dont les mérites n'étaient plus à démontrer.

D'abord Bjørken feignit l'abattement ; il faisait une tournée dans le district pour présenter sa fiancée à ses potes, et voilà que le premier à qui il rendait visite commençait par lui faire des propositions indécentes. C'était un scandale. Mais au cours de la nuit, il capitula. Naturellement, c'était à Emma en personne de décider où elle voulait séjourner. Et si elle préférait Lodvig à Bjørken, ce qui lui semblait parfaitement ridicule, il n'était pas du genre à s'y opposer. On était bien un homme adulte, pas un chat lunatique. Mais Lodvig, là, allongé sur sa couchette, ne devait pas s'imaginer qu'on ait offert son dragon cracheur de flammes et qu'on le porte sur le dos au profit de quelqu'un d'autre pour des prunes. S'il voulait la fille, il fallait aussi casquer pour le dragon.

Encouragé, Lodvig s'extirpa de sa couchette. Naturellement, cela semblait à la fois correct et raisonnable. Naturellement, Bjørken serait dédommagé pour le dragon comme pour la fille. Il fit un grand geste de la main. Il n'y avait qu'à se servir. Ce qui était à Lodvig appartenait aussi à Bjørken.

Mais Bjørken n'était pas avide. Il se contenta des jumelles télescopiques en question, d'un brûle-gueule, de la peau d'un phoque à capuchon et, après une certaine insistance quand même, d'un vieux fusil de chasse, qui avait pourtant la mauvaise habitude de décharger ses deux canons à la fois, malgré tous les crans de sûreté qu'on pouvait mettre.

Récupérer Emma remit Lodvig sur pied. Les jambes légères, il fit le service pour son hôte comme un jour d'anniversaire. Tous les soirs, il se couchait tôt avec Emma. Et Emma n'était pas du genre à avoir la migraine. Elle était ouverte et réceptive à la plupart des choses et devint la fiancée de Lodvig avec la même aisance qu'elle avait été celle de Mads Madsen, de William et de Bjørken auparavant.

Il faut reconnaître que les déprimes de Lodvig ne duraient jamais. Il était plutôt versatile. C'était sans doute la raison principale pour qu'il soit seul à chasser à Ross Bay. Avec un compagnon à la maison, il fallait évidemment souvent se contrôler, surtout dans les moments où on avait le moins envie de le faire.

Emma lui enleva ses sautes d'humeur et il faut voir là les raisons de sa revente. Après quelques semaines, Lodvig rompit les fiançailles et la céda à Herbert contre une chienne en chaleur, trois paires de semelles de kamiks et une représentation du château de Kolding encadrée sous verre.

Emma voyageait beaucoup. Elle se déplaçait de fjord en fjord, de cabane en cabane et de couchette en couchette. Dans certains endroits, son séjour était bref, dans d'autres, il pouvait durer des mois. Malgré les nombreuses expériences de toutes sortes, elle restait douce et candide, comme le jour où elle avait jailli de l'imagination de Mads Madsen. Ses joues de beignets aux pommes rougeoyaient comme le soleil d'août chaque fois qu'on lui présentait un nouveau fiancé, et ses yeux d'un bleu de glacier brillaient d'impatience en attendant que les négociations, après beaucoup de vives discussions, aient pris fin. La vie dans le nord-est du Groenland devint vite aussi passionnante pour Emma que pour les chasseurs.

Les mois passèrent. Moins d'un an s'était écoulé qu'elle avait déjà fait le tour de la côte plusieurs fois. Elle passa le mois d'hiver le plus froid chez Valfred dans la Cabane de Fimbul. Ce fut pour la jeune fille une sorte d'état d'hibernation. Une longue période de repos dans la couchette supérieure de la cabane. De bon cœur, Valfred l'avait reprise au Comte qui, par erreur, l'avait achetée à Herbert contre douze bouteilles de vin à étiquettes et la moitié de la récolte de pommes de terre de l'année suivante. Après Valfred, elle passa au jeune Anton qui, à ce moment-là, s'était installé chez Herbert. Anton était jeune et fougueux et la garda presque deux mois avant qu'on la réexpédie à Bjør-kenborg, où quelques tensions intérieures donnaient des boutons à Lasselille, l'apprenti. Le montant de la transaction fut cette fois un boîtier Kodak ainsi qu'une cuillère en argent, que Lasselille avait reçue en cadeau de baptême et qu'il avait apportée en Arctique pour des raisons purement sentimentales.

Emma termina son aventure arctique chez l'Islandais Fjordur, à Hauna. Fjordur était un homme grand et sobre, aussi lourd d'esprit que de poids. Après quelques verres, il pouvait devenir assez bruyant, passablement nationaliste et parfois presque violent. Mais, dans la vie quotidienne, il était de nature serviable, bonne pâte, et excellent chasseur.

Fjordur avait autrefois chassé dans la baie d'Hudson, il était donc rompu au métier quand il arriva dans le nord-est du Groenland. Comme Lodvig, il avait son caractère et ne souhaitait pas de compagnie.

La rumeur d'Emma parvint enfin à Hauna, qui était la station située le plus au sud de toutes. En route, cette rumeur s'était naturellement amplifiée et pas mal embellie, parce que nombre des chasseurs avaient maintenant eu une relation personnelle avec la fille et pouvaient donc rajouter des détails de première main.

Fjordur grommela quelque chose d'incompréhensible dans sa longue barbe rouge carotte quand il entendit parler d'Emma pour la première fois. Mais, à part ça, pas de commentaires. Qui était cette Emma, ce qu'elle faisait, ça lui était complètement égal.

Mais le printemps arriva et se mit à bourdonner agréablement dans les reins de Fjordur, comme toujours en cette période de l'année. Et à ce moment-là, il exhuma la rumeur de sa mémoire et y regarda de plus près. Il s'imaginait la fille que Mads Madsen avait, à ce qu'il avait compris, ramenée du Danemark, et plus il se l'imaginait, plus il se mettait à sentir des picotements.

Il était donc presque mûr pour une reprise quand Siverts arriva, pour, c'est lui qui le dit, se débarrasser de l'engin.

Siverts n'était pas vraiment versé dans les histoires de bonnes femmes. En tout cas, jamais pour trop longtemps. La lune de miel avec Emma s'était cependant déroulée comme un rêve léger et lumineux. Il l'avait célébrée assidûment et lui avait inconsidérément juré une éternelle fidélité, promesse dont il devait cependant rapidement rabattre. Le rêve prit peu à peu des allures de cauchemar. Emma en voulait plus que Siverts et la brouille s'installa. Lui, qui pouvait autrefois rester dans les cabinets extérieurs à jouir du panorama sur le fjord, purgé de toute pensée et autres choses embarrassantes, ne connaissait plus maintenant ni trêve ni repos. Emma lui collait aux basques. Son sommeil en devint agité, sa chasse négligée, Siverts grognon, et ses rapports, pourtant bons, avec Lause se mirent à grincer sur leurs gonds. C'est pourquoi il devint primordial pour Siverts de se débarrasser de la fille. Et comme Fjordur était la dernière innocence de la côte, il fila sur Hauna avec la fauteuse de troubles.

Comme on l'a déjà dit, Fjordur était relativement nouveau sur la côte. C'était un chasseur expérimenté et probablement pas très différent de beaucoup d'autres chasseurs de la baie d'Hudson. Mais ici, dans le nord-est du Groenland, il était à part. Il n'avait pas encore eu le temps de prendre ce rythme particulier, significatif de ceux qui étaient plus habitués. Il pensait et agissait comme on le faisait dans la baie d'Hudson, où l'existence est autrement concrète que sur le revers du Groenland.

Les autres chasseurs, par exemple, étaient transparents comme de la glace d'eau douce. Mais Fjordur était comme le rocher gris. Il était là où il était, et il fallait l'approcher de tout près pour découvrir, dans cette montagne, les fentes et les brèches par lesquelles on pouvait voir droit dans ce qui était le véritable Fjordur.

Entre autres vertus, Fjordur avait celle d'être

radin. C'était la raison principale de sa solitude. Extrêmement assidu, il chassait, à lui tout seul, l'équivalent de ce qu'une station de chasse équipée de deux hommes arrivait tout juste à rapporter. L'idée d'avoir à partager sa chasse avec un partenaire ne lui plaisait guère.

Mais, avec le printemps, le désir de compagnie prit de la force. Il se mit alors à caresser l'idée de partager sa table et son lit avec Emma. Celle-ci ne pouvait compter pour un vrai partenaire et n'aurait en tout cas pas droit à la moitié des peaux, et même s'il y avait un risque, parce que Fjordur savait que tout comporte des risques, celui-là au moins n'était pas énorme. On était près de l'été et s'il ne s'entendait pas bien avec elle, il pourrait toujours la réexpédier avec le bateau de provisions.

Un jour, Siverts se retrouva donc à la cabane de Hauna dans l'intention de se débarrasser de la demoiselle pour une somme symbolique. Fjordur, hésitant, se tiraillait la barbe. Parce qu'une somme symbolique, c'était quoi au juste ? Si Siverts avait demandé un nombre donné de peaux de renard ou une somme exacte, il aurait immédiatement pu répondre oui ou non. Mais « symbolique » ? Il était dangereux de prendre position par rapport à ce genre de mot.

Il mit de l'eau-de-vie islandaise sur la table, un truc fort et épicé qui exigeait des intestins solides, suggérant à Siverts de s'en verser quand ça lui convenait. Puis il lança :

— Dis-toi bien qu'au fond, j'ai pas du tout besoin d'aide à la maison, et que la solitude ne me pèse pas. Une fois, je suis resté pendant trois ans dans la baie d'Hudson avant d'avoir de la visite et j'ai manqué de rien, ha ! ha ! si ce n'est d'un peu de chaleur entre les couvertures, je veux dire, autre que celle qu'on fabrique soi-même.

Il rit bruyamment.

— Tu sais, une petite polissonne avec qui partager ses puces.

Siverts hocha la tête. Il allongea les lèvres et lança un bisou en l'air.

— Ce genre de chose est salutaire pour l'état général, dit-il. Une fille comme ça, c'est plus utile intérieurement qu'on se l'imagine. Ça enlève la mauvaise herbe à l'intérieur pour ainsi dire, Fjordur.

Il se tapa le front d'un gros index rouge.

— Là-dedans, il se passe des choses impossibles à expliquer. On se purifie, mon petit Fjordur, comme si elle lavait tout ça avec de l'eau chaude et de la lessive. Toutes les saletés partent à coups de brosse et on sent à la fois le savon noir et l'Esprit de Valdemar de l'intérieur.

— Tu penses vraiment, Siverts?

Fjordur était bouche bée. Il n'avait jamais imaginé cette histoire de nettoyage intérieur.

— C'est exactement comme j'te dis. Et bien plus encore. La vie, mon cher Fjordur, c'est plus que de dépouiller des renards et de bouffer de la viande de phoque. Regarde, par exemple, comment tu vis toi-même. Tu chasses, tu dépouilles, tu bouffes et tu dors. Jour après jour. Et tu continues comme ça pendant des années, jusqu'au moment où la Compagnie te ramène pour te mettre en cale sèche. Et en rentrant, hein? Tu vas au bistrot et tu fréquentes des mauvaises femmes. C'est pas vrai? Tu baignes dans la misère jusqu'à ne plus savoir à la fin ce qui est haut et ce qui est bas. Et puis, tu te présentes à nouveau au bureau d'embauche et tu reprends le bateau pour revenir peiner ici. Bordel, c'est quoi comme vie, j'te demande un peu.

— Ouais, c'est comme ça, reconnut Fjordur, mais c'est pas si grave.

— Non, tu dis ça parce que t'as jamais rien vécu de mieux.

Siverts regardait son hôte d'un air condescendant.

— Mais nous autres, mon ami, qui avons à la fois des chiottes dans la cour et une fille de famille dans la couchette tous les soirs, nous avons maintenant une autre vision de l'existence. Nous sentons toutes ces choses subtiles et nobles que la vie nous offre, nous sommes, passe-moi l'expression, nous sommes pour ainsi dire supérieurs.

Fjordur rougit. Les mots de Siverts l'obligeaient à faire le point sur lui-même, ce qui n'avait rien de particulièrement encourageant.

— J'trouve que t'es devenu assez bêcheur dernièrement, murmura-t-il, et je pense que je suis un chasseur aussi bon que n'importe qui.

Siverts hocha la tête.

— J'parle pas de ta qualification en tant que chasseur, t'es à la hauteur de n'importe qui d'autre, mais pour les caractéristiques humaines, t'es, oh, comment le dire, un peu mal dégrossi, un peu primitif...

Fjordur loucha méchamment. Il lui était difficile de contredire Siverts, qui se tenait là, propre et bien entretenu, avec une jeune fille l'attendant dehors sur le traîneau. Et il employait des mots incontournables, des mots qu'il s'était appropriés en fréquentant, en la personne de Lause, le monde le plus civilisé. Fjordur resta longtemps sans savoir s'il devait choisir la colère ou la gentillesse. Mais comme il voulait quand même bien avoir Emma, il opta pour la dernière attitude.

— Dis donc, j'ai entendu parler de ce truc-là, Emma, commença-t-il d'une voix rauque.

Siverts secoua son index devant le nez.

— C'que t'as entendu, Fjordur, c'est rien. Parce que même si on racontait tout sur Emma, on n'en aurait pas fait le tour de la moitié. Elle est unique, tu vois. Elle n'a pas son pareil dans le monde entier.

— Est-ce qu'elle est pas un peu du genre olé olé ? demanda Fjordur, sentant à nouveau le doux bourdonnement sous les hanches.

— Emma change de partenaire comme nous autres nous changeons de chemise, avoua Siverts, c'est-à-dire à peu près une fois par mois.

Fjordur se pencha en arrière sur sa chaise. Il enfila les mains profondément dans les poches de son pantalon de toile et étira ses jambes sous la table.

— Puisque tu l'dis. De cette façon, oui... hum, hum.

Il loucha sous ses sourcils clairs.

— C'est certainement pas si idiot que ça, un peu de changement, si je comprends bien. On en aurait envie soi-même de temps en temps. Un peu à côté du quotidien, pour ainsi dire. Hum... eh oui ! On peut l'envisager.

Il ferma les yeux et plongea, tête baissée.

— Dis donc, Siverts, Emma n'aurait pas à nouveau envisagé de déménager ?

Les négociations, un peu raides, durèrent trois bonnes heures. Fjordur dut remplir plusieurs fois la lampe de pétrole et le bidon d'alcool maison avant qu'un compromis satisfaisant pour les deux parties soit trouvé.

Emma passa à Hauna pour une paire de bottes de marin presque neuves, un livre de comptes inutilisé et un jeu de cartes marquées qui, en vérité, avait appartenu à Vieux-Niels. Mais comme pour Vieux-

Niels tout était consommé, Fjordur considérait que les cartes appartenaient à la maison, donc à lui.

Après l'inévitable poignée de main, Fjordur offrit un bout de tabac à chiquer, puis se frotta les mains d'un air enjoué.

— Ça baigne, Siverts. Ha, ha! Maintenant, tu peux rentrer la fillette. Faut espérer qu'elle aura pas gelé sur les planches du traîneau dehors. Ha, ha! Je suppose que tu l'as bien enfoncée dans le sac de voyage avant de rentrer?

Siverts le regarda, surpris:

— Comment ça? demanda-t-il.

— Ha, ha, ha... toi, t'es vraiment un filou.

Fjordur rigolait. Il était d'excellente humeur et se réjouissait à l'idée de voir enfin sa fiancée.

— Sors la tigresse, Siverts, parce que maintenant Fjordur veut se faire gratter le dos.

Siverts regardait l'Islandais avec des yeux écarquillés, sans comprendre.

— Là, j'vois plus très bien. Maintenant t'as les droits sur Emma. Qu'est-ce que tu veux de plus?

Fjordur ajusta sa tête devant celle de Siverts.

— La fille, chuchota-t-il d'une voix pâteuse.

Mais comme Siverts avait toujours l'air de ne pas comprendre, il répéta dans un hurlement qui souffla presque Siverts de sa chaise:

— La fille, espèce de tête de mule. Rentre-la!

— La rentrer? Mais elle est à toi, répondit Siverts en secouant la tête.

Fjordur, qui était une âme simple et concrète, flaira l'escroquerie.

— Maintenant tu vas me chercher la fille, Siverts. Tu as reçu ton règlement, et une affaire, c'est une affaire. Où est-elle?

Siverts soupira profondément.

— J'crois pas qu'tu m'as bien compris, dit-il un peu inquiet. T'as les droits sur Emma, elle est à toi, Fjordur.

— Ouais, bordel, bien sûr qu'elle est à moi, cria Fjordur énervé, c'est ben pour ça que je la veux ici, espèce d'imbécile. En chair et en os et tout et tout, tu comprends !

— Mais tu l'as. T'as les droits, hurla Siverts en écho.

Il commençait à perdre patience.

— Et tu peux même faire avec Emma tout ce que diable tu voudras, sacrebleu.

— Putain de bordel !

Fjordur jeta un regard sauvage dans la pièce.

— Il n'y a pas d'Emma, où par tous les diables vois-tu Emma ici ? Sors-la.

Siverts écarta les bras, impuissant. Tout ça ne menait à rien. On ne pouvait pas parler d'Emma sur de telles bases.

— C'qui va pas chez toi, Fjordur, dit-il d'un ton mesuré, c'est que t'es novice ici, sur la côte. Si t'avais passé aussi longtemps ici qu'Herbert ou Bjørken, ou Valfred et les autres, ou moi bien sûr, t'aurais compris Emma. Mais t'as vraiment rien pigé.

Fjordur ne renonça pas. Il n'aimait pas être roulé. D'un bond, il fut de l'autre côté de la table. Il prit Siverts par le capuchon de l'anorak. Attaque surprise à laquelle Siverts n'eut pas le temps de réagir. Fjordur vrilla le capuchon, et les jambes de Siverts mollirent, son visage devint bleu. C'est seulement quand ses yeux bleu ciel commencèrent à lui sortir des orbites que Fjordur relâcha un peu sa prise.

— Si tu n'as pas amené la fille ici, ragea l'Islandais, tu m'as escroqué et tu vas en prendre pour ton grade.

Siverts respirait avec un sifflement et chuchota d'une voix enrouée :

— Je t'ai donné les droits sur elle, connard. Je t'ai vendu les droits, exactement comme je les avais achetés moi-même, et comme tous les autres l'ont fait depuis qu'elle est arrivée avec Mads Madsen.

— Qu'est-ce que ça peut me foutre, ce qu'ont fait les autres ? brailla Fjordur. J'ai les droits et t'as toujours la fille. C'est de l'escroquerie, ouais. Maintenant nous partons à sa recherche, tous les deux.

Siverts, qui depuis une minute avait recouvré la possibilité de respirer librement, chuchota :

— Tu comprends rien, Fjordur, pauvre minable.

On fit comme voulait Fjordur. Il était fermement décidé à trouver Emma, qu'il avait achetée et payée.

On inspecta d'abord le traîneau de Siverts. Le résultat fut désolant. Même en regardant dans et sous le sac de voyage, dans la caisse à provisions et dans le sac du traîneau, Fjordur ne trouva pas trace de sa fiancée. Il en était arrivé à ce stade de rage où l'on devient silencieux et glacial. Sans un regard pour son visiteur, il alla chercher ses vêtements de voyage, une botte de poissons séchés et les traits des chiens dans la cabane annexe. Il attela les chiens, arrima le chargement, retourna à la maison, où Siverts s'était réinstallé à table, prêt à une reprise des débats, vu la nouvelle situation. Sans un mot, Fjordur éteignit le feu dans la cuisinière et expédia Siverts dehors, dans la neige froide, d'un coup de pied. Il verrouilla la porte, alla au traîneau et houspilla les chiens.

Siverts, comprenant que sa présence à Hauna n'était plus souhaitée, regarda le traîneau disparaître. Assis dans la neige, il se sentait à la fois exalté et déçu. Déçu parce que Fjordur n'avait pas eu le don de saisir Emma, et exalté parce qu'il savait que la chasse que Fjordur venait d'entamer serait à la fois passionnante et instructive. Il se leva rapidement, attela les chiens et, avec quelques minutes de retard, s'élança sur les traces de Fjordur.

Ils voyagèrent toute la nuit. Siverts rattrapa rapidement Fjordur. Il le voyait marcher énergiquement derrière le montant, agitant son fouet et criant des bordées d'injures aux chiens en plusieurs langues. Quand la première lumière pourpre commença à colorer les pics à l'est, Fjordur fit halte. Il monta la tente, nourrit les chiens et s'installa pour dormir. Sans un mot pour Siverts. Il noua l'ouverture de la tente, souffla la lampe, montrant ainsi qu'il ne souhaitait pas de compagnie.

Siverts fit halte à une centaine de mètres de la tente de Fjordur. Il déroula son sac de couchage sur le chargement du traîneau, promit aux chiens des aliments concentrés dans un proche avenir, mangea deux biscuits de mer et sombra dans un sommeil lourd. Quand il se réveilla, Fjordur avait disparu.

Les traces de l'Islandais menaient à Guess Grave, chez Herbert et Anton. Mais quand Siverts arriva, c'est une maison vide qu'il découvrit. Il entra. La cuisinière était encore tiède, et sur la table se trouvait un pichet de bière presque plein, ce qui, mieux que des mots, montrait que les habitants avaient décampé à la hâte. En marchant un peu de long en large sur le terrain devant la station, il trouva les traces fraîches de deux traîneaux, qui partaient en direction de Bjørkenborg.

A Bjørkenborg, il fut contrarié d'arriver en retard là aussi. Il allait juste franchir la porte quand Fjordur sortit comme un ouragan. La collision était inévitable, et pour la deuxième fois, Siverts se retrouva le cul dans la neige. Bjørken sortit derrière Fjordur en hurlant :

— Attends-nous, Fjordur, attends-nous !

Mais Fjordur ne voulait attendre personne. Il était déjà derrière son traîneau et avait fait démarrer les chiens. Derrière Bjørken arrivèrent Lasselille et Museau. Ils filèrent vers les deux traîneaux de Bjørkenborg et attelèrent à toute vitesse. Bjørken aida Siverts à se mettre debout, lui tendit un peu de café chaud et un verre d'eau-de-vie, et lui expliqua, en allant vers les traîneaux, comment Fjordur avait déboulé.

— C'est de l'amour, expliqua Bjørken, du putain de véritable amour, Siverts.

— Il lui manque la faculté d'imaginer les choses, soupira Siverts.

— Tout juste.

Bjørken joignit les mains.

— S'il avait eu ce don, tout aurait été si beau ! dit-il. Écoute, Siverts, je vais avec toi, on en parlera pendant le voyage.

A la Cabane du Vent, où Fjordur ne trouva pas Emma non plus, on ramassa Lause. De là, l'Islandais prit, à travers l'inlandsis, la direction de Ross Bay, où l'on dégota Lodvig. De Ross Bay, on alla à Fimbul, où le cortège s'agrandit de Valfred et du Lieutenant, et enfin on arriva à Kap Thompson où Emma était née, dans le temps. A ce moment-là, Fjordur avait tous les chasseurs comme escorte, sauf le Comte.

L'ambiance fut animée pendant tout le voyage. Les soirées dans les tentes avaient un caractère de fête et l'atmosphère était à l'attente. Par souci de convivialité, on avait monté les tentes en cercle, et depuis les ouvertures tous les participants à cette chasse pouvaient, tout en étant couchés, faire la causette. Seule la tente de Fjordur avait été dressée à quelques centaines de mètres des autres.

On attendait avec impatience la rencontre entre Fjordur et Mads Madsen. On se plaisait à y voir un combat de géants. On faisait des paris sur les probabilités d'une lutte à coups de poing ou seulement d'un duel verbal, et d'autres paris sur le résultat de la bataille.

La plupart des traîneaux arrivèrent à Kap Thompson avant celui de Fjordur. Il fallait à tout prix arriver en premier, pour ne rien rater.

Et c'est ainsi que beaucoup étaient déjà assis à table quand Fjordur entra. Vision grandiose. Les cheveux comme une auréole diaphane autour du visage écarlate, les sourcils comme deux larges traits de glace, les yeux rétrécis et injectés de sang comme ceux d'un ours en colère, et la barbe rallongée de plusieurs pouces de glaçons.

— Où est-elle, Mads Madsen ? tonna-t-il depuis le seuil.

Mads Madsen, le dos tourné à la porte, occupé à chercher quelque chose dans sa couchette, se retourna lentement et regarda avec surprise le nouvel arrivant.

— Ah, mais dis donc, dit-il joyeux, voilà Fjordur l'Islandais qui vient nous rendre visite. Assieds-toi et prends un pot, pendant que William finit de préparer à manger.

Mais Fjordur ne voulait pas boire. Il piétina le sol de ses kamiks et cria :

— Maintenant, je veux savoir, bordel de merde, où vous avez foutu ma fiancée ! Tu comprends ça, Madsen ? C'est toi qui l'as amenée ici, et comme elle n'est chez personne d'autre, elle est automatiquement ici.

Mads Madsen secoua la tête. Il s'assit à table entre Museau et Anton et commença à parler à Fjordur de cette illusion lumineuse qui lui était venue un soir d'automne, et qui avait servi de consolation et d'encouragement à presque tous les habitants de la côte. Mais Fjordur n'était pas amateur d'illusions. Il se foutait franchement de l'imagination fertile de Mads Madsen et ne comprit pas un mot à ce qu'on lui racontait.

— Emma existe, oui ou merde ? hurla-t-il, furieux.

— Certainement.

Mads Madsen hocha la tête, et tous les chasseurs en firent autant. Parce que c'était évident qu'Emma existait. Tous en avaient un souvenir clair. L'existence d'Emma ne faisait aucun doute.

— Bien.

Fjordur loucha autour de lui.

— Si elle existe, sors-la. J'ai les droits, et maintenant je la veux.

Comme Mads Madsen n'avait d'autre réaction que de secouer la tête en jetant des regards significatifs à l'assistance, Fjordur grogna :

— C'est toi qui l'as traînée jusqu'ici, Mads Madsen. Et maintenant, t'as plus qu'à la donner à celui qui en a les droits.

Il respirait lourdement, comme s'il avait couru tout du long, de Hauna jusqu'à Kap Thompson, ce qui, en fait, était le cas.

— Si je ne la ramène pas avec moi, je me mets tellement en colère que je vous réduis, toi et toute cette horde de faces de carême, en mutilés, avant de repartir. T'as compris, Mads Madsen ?

Mads Madsen regarda Fjordur. L'Islandais était visiblement passé complètement à côté d'Emma. Il était trop concret pour ce monde. Et en plus, maintenant, il était tellement hors de lui qu'il frisait la crise d'apoplexie. Si Emma avait été une idée fixe chez Mads Madsen et les autres chasseurs, elle n'était sûrement pas moins une idée fixe chez Fjordur. Bien sûr, on pouvait, vite fait bien fait, faire rentrer à grands coups de poing un peu de bon sens dans la tête de l'Islandais. Mais ce n'était probablement pas la bonne manière. Lui, Mads Madsen, avait créé Emma, presque comme Dieu avait créé autrefois l'homme, et maintenant il lui fallait donner un bon coup de poing dans l'argile et l'effacer pour toujours. C'était comme s'il n'y avait plus besoin d'Emma sur la côte. En tout cas, pas pour quelques années. Et même s'il était dommage que Fjordur n'ait jamais l'occasion de vivre le bonheur d'être fiancé avec Emma, il n'y avait probablement pas d'autre solution que de la faire disparaître. D'un autre côté, il fallait aussi donner à Fjordur l'impression d'avoir quelque chose en compensation.

Mads Madsen hocha la tête.

— Ne nous excitons pas pour des bagatelles, Fjordur, dit-il, on va pas se battre pour une fille, tous les deux. Je comprends que tu te sentes roulé parce que tu n'as pas eu l'occasion de la connaître comme nous autres, mais d'un autre côté, c'est autant ta faute que la nôtre.

— N'essaie pas de noyer le poisson, grogna Fjordur.

Mads Madsen sourit.

— Ce que j'essaie de te dire, bourrique, c'est que je suis prêt à te dédommager pour la fille. Malheureusement, je ne peux pas la faire surgir par magie, pour des raisons... diverses.

— J'ai acheté les droits, grommela Fjordur, elle est à moi, achetée et payée.

— Je sais, mon vieux. Mais comme je l'disais, tu vas être dédommagé. Qu'est-ce que t'en penses ?

Fjordur réfléchit longuement. Il vacillait de fatigue sur le seuil de la porte, et réfléchissait aussi vite qu'il en était capable. Lentement, il arriva à la conclusion qu'il y avait sûrement quelque chose de louche avec cette fille, et que, s'il était dédommagé, il pourrait peut-être se faire à l'idée qu'il lui faudrait continuer à dormir seul. Il ferma la porte, alla vers la table et s'assit au bout.

— Bien, Mads Madsen. On va pas se disputer, comme tu dis, et j'accepte un dédommagement, à une certaine condition.

— Une condition ?

Mads Madsen le regarda, inquiet.

— Oui, je veux que tu renvoies Emma à Ålborg par le premier bateau. Je ne crois pas qu'il soit sain, ni pour elle ni pour nous, qu'elle continue à rôder par ici. Si t'acceptes pas, j'veux pas de dédommagement et on se brouille, et j'me vois malheureusement obligé de te casser la gueule.

Les chasseurs autour de la table sourirent largement. Voilà qui était bien parlé de la part de Fjordur.

Mads Madsen arrangea la situation.

— C'est pas que je n'aie pas envie de mesurer mes forces avec toi, Fjordur. Mais je préfère un arrangement amiable. C'est que j'estime que t'as raison : on doit renvoyer la fille, voilà pourquoi j'accepte ta condition. Et maintenant je voudrais savoir ce que tu veux en dédommagement.

Des choses présentées, Fjordur choisit un couteau usé, un chien borgne, mais à part ça sans défaut, et un dé à coudre de poussière d'or que Mads Madsen avait tamisé à la Rivière Rouge quatre ans auparavant.

C'est toute une assemblée qui se pointa au départ du bateau d'approvisionnement. Trois yoles pleines d'admirateurs d'Emma, ainsi que Mads Madsen et Fjordur sur leur propre bateau, avaient abordé la *Vesle Mari* et se trouvaient maintenant face au capitaine Olsen.

Mads Madsen jeta un coup d'œil vers Fjordur. Celui-ci avait une expression dure et fermée.

— Oui, eh, Olsen, commença Mads Madsen, y a une chose que j'voudrais te demander.

Gêné, raclant le pont d'un pied, il regardait devant lui.

— T'aurais pas par hasard une place pour Emma à bord ? Elle doit rentrer, voilà.

Le capitaine Olsen rejeta sa casquette sur la nuque.

— Quelle Emma ? demanda-t-il, bourru.

Mads Madsen inhala profondément. Un soupir long et douloureux lui fit écho dans toute la troupe de chasseurs.

— C'est-à-dire... ben, Emma, répondit-il en faisant un geste désarmé en l'air.

Le capitaine Olsen naviguait sur la côte depuis des lustres. Il connaissait la mer et la glace, et il connaissait les chasseurs. Il savait que nombre de choses, incompréhensibles pour le profane, se passent sur la côte brune au cours d'un long hiver. Sans broncher, il répondit :

— Nous avons assez de place. Mais elle doit se faire aux conditions du bord.

Mads Madsen eut un soupir de soulagement.

— Mais bien entendu ! dit-il, Emma n'est pas difficile du tout. Elle ne te causera aucun embarras.

— Alors, ça ira, murmura Olsen en tournant sa chique et en clignant d'un œil, mais qui payera son billet, Mads Madsen ?

Mads Madsen eut un regard confus vers Fjordur qui secoua la tête et lui renvoya un regard sans appel.

— Ben... ce sera donc moi, j'en ai bien l'impression, bégaya-t-il.

Le capitaine Olsen sourit.

— Oui, parce que le prix pour les dames n'est pas le même que pour les gens ordinaires, tu comprends.

Mads Madsen ne comprenait pas. Il demanda craintivement :

— Combien ça va me coûter, Olsen ?

— Ben, comme c'est toi et qu'apparemment c'est une bonne copine, t'auras le billet pour un quart de ta chasse de l'hiver passé, rigola Olsen joyeusement, mais je te promets qu'elle aura pleine pension et qu'on s'occupera tendrement d'elle.

Mads Madsen ravala la boule qui s'était installée de manière gênante dans sa gorge. Il hocha la tête, muet, en pensant au quart de sa chasse de l'année. Il pensa aussi au 30/30 qu'il avait reçu, autrefois, en échange d'Emma, quand il en avait cédé les droits à William. Maintenant, en tout état de cause, il était largement payé.

Quand la *Vesle Mari* largua les amarres, un quadruple hourra tonna des yoles. Les chasseurs brandirent leurs casquettes ou leurs bonnets de cuir et Mads Madsen salua, d'un coup de son précieux Stevens 30/30.

Le capitaine Olsen, debout sur le pont, fronça les sourcils. L'Emma de Mads Madsen lui rappelait un temps où, jeune homme, il était resté bloqué dans les glaces tout un hiver entre les îles de Nouvelle-Sibérie. Un hiver marqué par toutes sortes de privations.

— Emma, bougonna-t-il à son second, que diable voulait-il bien dire avec Emma?

Il regarda autour de lui dans la cabine.

— Dans la mer des Laptev, elle s'appelait Sigrid.

Il secoua la tête, préoccupé.

— Putain de bordel! Et moi qui ai horreur d'avoir des bonnes femmes à bord!

Un safari arctique

... où nos chasseurs font la connaissance de la délicieuse Lady Herta, de ses exigences en matière de confort, de ses compétences ethnologiques, et de son fair-play tout britannique...

Il y a des points de repère, des jalons dans la vie de chacun. Certains épisodes restent si nets dans la mémoire que, pour le restant de la vie, ils servent de références quand on mesure le temps qui passe.

Ainsi, l'épisode qui suit devint un point de repère pour les chasseurs dans le nord-est du Groenland. Par la suite, on le nomma « l'été d'Herta » et c'est ainsi qu'on savait, par exemple, que « l'été d'Herta » venait deux ans et demi après qu'Halvor avait bouffé le Vieux-Niels à Hauna, et un an avant que le Comte puisse exhiber sa première chétive pomme de terre.

Et justement, cette année-là, la *Vesle Mari* arriva particulièrement tôt. Elle avait eu de la chance avec les glaces et avait navigué à toute vapeur dans de grandes étendues dégagées jusqu'à Kap Thompson sans avoir une seule fois à flanquer de coups de boule dans les glaces. Elle déchargea la marchandise pour toutes les stations du Nord sur la plage, au-dessus de la marque de marée haute et réappareilla vers Bjørkenborg, où les provisions du sud de la côte étaient mises en dépôt pour que les chasseurs les retirent plus tard.

Ce fut un voyage record et tout le monde s'étonna de cette précipitation. Le capitaine Olsen ne donna pas d'explication. Il tarabustait et rudoyait ses matelots pour qu'ils se dépêchent et prit à peine le temps de descendre à terre pour dire bonjour. En un tournemain, tout avait été déchargé. Et le seul et unique bateau de l'année avait disparu derrière l'horizon.

Comme c'était la coutume, les chasseurs de la côte se réunirent à Kap Thompson au cours de l'été pour échanger leurs idées et leurs expériences. C'était une sorte de conseil officieux des chasseurs où on se répartissait les districts et où se réglaient les petits différends qui avaient pu surgir au cours de l'année passée. Bien sûr, on discuta aussi de la hâte du capitaine Olsen. Certains suggéraient que le capitaine avait l'intention de renoncer à la vie de célibataire, qu'il s'était trouvé une bonne femme chez lui, à Tromsø, et que c'était pour ça qu'il avait le feu au cul.

— Je vous fiche mon billet qu'il a un jupon dans la tête, affirmait l'Islandais Fjordur, y a rien de tel qu'une bonne femme pour faire courir comme ça un homme.

Mais Mads Madsen, qui connaissait le capitaine Olsen mieux que personne, dit :

— Tu connais pas Olsen, Fjordur. La fille qui pourra lui tourner la tête, elle est pas encore née. Non, il est plus probable qu'il a reniflé de l'argent. Y a qu'une chose qui puisse faire courir Olsen, c'est le fric. Il a peut-être trouvé un endroit dans les Glaces de l'Ouest où les phoques mettent bas leurs petits un peu tardivement. Il va peut-être là-bas pour taquiner un peu le menu fretin.

— Impossible.

Valfred ouvrit grands les yeux; il avait l'air presque réveillé.

— Pas en août, Mads Madsen, ce serait contre nature.

— Ce que la nature trouve à faire, ni toi ni moi on ne le comprend, dit Mads Madsen. Aujourd'hui, rien n'est contre nature, mon petit Valfred, et la nature est si incompréhensible et capricieuse qu'elle pourrait aussi bien avoir l'idée de laisser naître les phoques même le soir de Noël.

Il tortilla un bout de sa barbe et commença à se curer l'oreille.

— D'ailleurs je n'ai pas dit qu'à tous les coups y avait des bébés phoques là-bas, j'ai simplement sorti ça comme une possibilité. Il a peut-être de tout autres projets, comme par exemple faire un autre voyage jusqu'ici. Qui sait?

Bjørken regarda son vieil ami avec étonnement :

— Jusqu'ici? Qu'est-ce qu'il pourrait bien avoir à faire ici?

— Personne ne l'sait, répondit Mads Madsen, mais souvenez-vous de ce que j'vous dis.

Il fit comme s'il était complètement versé dans le tableau de service d'Olsen.

Et contrairement à pas mal de gens, c'est Mads Madsen qui eut raison. Un jour, début septembre, on distingua de la fumée derrière la banquise. Les chasseurs étaient assis sur le banc devant la cabane de Kap Thompson, en train de se dorer au soleil. Lasselille se redressa tout d'un coup avec un hurlement.

— Regardez là-bas ! braillait-il presque hystérique. La fumée là-bas. C'est un bateau !

— Bien sûr, dit Mads Madsen, c'est la *Vesle Mari*. Je vous avais bien dit qu'Olsen avait quelque chose derrière la tête.

Ce deuxième voyage de la *Vesle Mari* ne se passa pas aussi facilement que le premier. La glace du nord pressait et coinçait le vieux rafiot de bois qui gémissait de partout. Trois jours plus tard, il s'était cependant approché suffisamment pour que Bjørken, dans sa longue-vue, puisse distinguer des détails à bord.

— Tu vois Olsen ? demanda Mads Madsen.

Bjørken installa les jumelles sur une motte d'herbe devant le pignon de la maison pour avoir une visée stable.

— Oui, Olsen et une autre silhouette bizarre, répondit-il.

Comme il ne précisa pas davantage son « une autre silhouette bizarre » et que personne ne voulait se montrer trop curieux, l'excitation monta d'un cran parmi les chasseurs assis sur le banc.

Le rapport suivant de Bjørken fut alarmant.

— La silhouette bizarre que je viens de mentionner a une putain de ressemblance avec une bonne femme.

Il retourna les jumelles et en nettoya les grandes lentilles avec le coude de son tricot de corps.

Fjordur regarda Mads Madsen malicieusement.

— Je te disais que ça sentait le jupon, pas vrai ? Et maintenant, bien sûr, il fait sa lune de miel jusqu'ici pour l'impressionner.

— Balivernes que tout ça, grogna Mads Madsen, Olsen est un homme raisonnable, il ne se marie pas. C'est comme je dis, il a reniflé de l'argent. Attendez et vous verrez que j'ai raison.

Bjørken appuya d'une certaine manière la théorie de Mads Madsen en disant :

— Celle-là n'est pas l'alouette d'Olsen. N'importe quel idiot voit ça au premier coup d'œil. Celle-là, c'est du joli monde, une dame j'crois même, crénom.

Le groupe remua anxieusement. Mads Madsen bâilla et en perdit sa chique.

— Une dame, souffla-t-il effrayé. T'es sûr d'avoir bien vu, Bjørk ?

— C'est une dame, confirma Bjørken après avoir étudié le phénomène pendant une bonne minute. Aucun doute là-dessus.

Il replia la lorgnette dans un claquement et la fourra dans sa poche.

— Je n'essaie surtout pas de vous la décrire, ça vous ferait tous partir vous cacher dans la montagne. Mais c'est une dame, je vous le jure, et en plus, une dame de premier choix.

Même si on savait par expérience que Bjørken avait tendance à l'exagération, ses mots eurent un effet, pour ainsi dire, paralysant. Ils provoquèrent plusieurs minutes de silence. Les hommes étaient assis au soleil comme une bande de coquelets apeurés, ne sachant de quel côté courir. Parce que, naturellement, leur première pensée, ce fut la fuite. Ensemble, ils avaient été en sécurité, persuadés que tout irait comme il faut cette saison. Ils s'étaient reposés là, à se réjouir de tout et se sentant sûrs de la grande paix sacrée de l'hiver à venir. Et tout d'un coup, voilà qu'un bateau se pointait à travers les glaces avec une dame à bord.

Valfred était le moins confus. Le soleil l'ayant à moitié endormi, il n'avait entendu le rapport inquiétant de Bjørken que d'une oreille distraite. Il se frotta les yeux et bâilla longuement. Ce qui fut contagieux.

— Alors, une dame, tu dis, Bjørk?

Il regarda son maigre et long camarade d'un air endormi.

— Hé, hé, j'ai connu un machin comme ça autrefois. Une vraie dame que c'était, hé, hé, mais y a longtemps d'ça.

Tout le monde regardait Valfred. Avoir connu une dame, c'était vraiment quelque chose. Peut-être qu'on pouvait profiter des expériences de Valfred.

— Et t'as connu combien de dames? demanda Herbert.

— Ah, combien, combien? Ça dépend, répondit Valfred, sibyllin. Il y a donc longtemps de ça, mais d'une façon ou d'une autre on se souvient quand même. Celle que j'ai connue avait un magasin de broderie à Gothersgade, une rue de Copenhague. Elle avait peut-être rien de particulier à voir, mais c'était une jolie petite chose et une dame surchoix. Elle avait une odeur particulière, et je crois que toutes les vraies dames sont comme ça.

— Quel genre d'odeur? demanda Anton.

Il était avide de s'instruire et n'avait que très peu de connaissance en matière de dames.

— Ouais, Anton, comment te faire comprendre ça?

Valfred se gratta la nuque.

— C'était un peu du genre de la lotion pour les cheveux du Comte, et puis un brin comme quand on fait bouillir du chou. Pas beaucoup, ça ne piquait pas le nez, juste un peu, vous comprenez. C'est parce que les dames, ça se lave tous les jours avec du savon, et après, ça s'asperge avec de l'eau de toilette ou des choses de ce genre.

— Mais le chou?

Anton était désireux d'en savoir plus.

— D'où il venait?

— Je suppose qu'il venait de l'intérieur, mon ami, dit Valfred. Les dames sont un peu différentes des gens ordinaires, pourquoi donc elles sentiraient pas le chou de l'intérieur?

De toute évidence, Valfred savait pas mal de choses au sujet des dames. Et cette histoire d'odeur n'avait rien d'inacceptable, car enfin, tout être humain sent. Certains plus fort que d'autres et Valfred plus que quiconque. Son odeur ressemblait d'ailleurs fortement à de la puanteur.

— Et comment c'était avec cette dame des broderies? demanda Bjørken. Est-ce qu'elle était difficile à manier, je veux dire, vous parliez ensemble et tout ça?

— Ouais, sur ce chapitre elle était comme elles sont presque toutes, leur confia Valfred en se redressant sur le banc. Elle était un peu bizarre, côté vocabulaire, et n'employait pas ces expressions corsées qu'on utilise, nous autres, pour donner un peu plus de saveur à tout. Mais elle était pleine de pensées et d'idées, même si la plupart étaient situées à un niveau un peu trop haut pour moi.

Anton, qui avait un peu gagné en frivolité à la fréquentation d'Emma, demanda:

— Et la chose, Valfred, je veux dire ce qu'on fait avec les femmes, tu la faisais avec la dame des broderies?

Valfred sourit avec mélancolie. Il regarda son apprenti d'autrefois.

— Les dames ne font pas ça, répondit-il.

— Pourquoi pas?

— Hé, oui... pourquoi pas?

Valfred, un peu embarrassé, se moucha bruyamment du doigt et chassa le résultat en deux petits coups gênés.

— Pourquoi pas ? C'est une question bigrement complexe, mon petit Anton, à laquelle il est difficile de répondre. Certaines le font, d'autres pas, c'est comme ça. Et les dames ne le font pas, d'après ce que je sais.

Anton secoua la tête, ça le dépassait.

— Ça peut pas être vrai, dit-il, tout le monde fait ça, Valfred, personne peut s'en passer.

Valfred joignit les mains sur son ventre et laissa son menton reposer sur sa poitrine. Le soleil brûlait et incitait au repos.

— Tu as peut-être raison, Anton, dit-il à voix basse. Tu es jeune, et tout ça, c'est encore frais dans ta mémoire. Moi, je ne suis qu'un vieillard à demi sec et qui aime bien le schnaps. Mais la dame que j'ai connue, elle ne le faisait pas, d'après ce que je sais. En tout cas, pas avec moi. Et c'était sûrement pas les occasions qui lui manquaient, hé, hé... Putain, qui n'aurait pas aimé coucher avec quelqu'un qui sent le chou ?

Il ferma les yeux.

— Mais non, elle préférait peloter de la laine et compter ses bobines de fil et ses boutons. Les dames sont comme ça, Anton.

— Ça, par exemple.

Anton n'en revenait pas. Il était content qu'Emma n'ait pas été une vraie dame.

Lause, qui prétendait venir de la haute de la capitale, montra de l'index le terre-plein devant la cabane.

— Ce n'est pas que je veuille me mêler des choses ici, à Kap Thompson, dit-il, parce que chaque chef gère sa station comme il veut, mais comme nous allons apparemment avoir la visite d'une dame, je suggère qu'on fasse un peu d'ordre dans la maison. Sinon, elle risque de glisser sur toutes ces rognures de lard, de se couper sur une boîte ou de trébucher sur une merde de chien.

Mads Madsen opina.

— C'est vrai, ça a l'air un peu négligé, surtout si on vient d'ailleurs et qu'on n'a pas l'habitude de ça dans le quotidien. Ce serait peut-être pas une mauvaise idée d'enlever le plus gros des ordures avant que la prima donna débarque.

Le Lieutenant donna de la voix :

— Si on range à l'extérieur, il faut en faire autant à l'intérieur. Quand est-ce que vous avez lavé par terre ?

William le Noir répondit :

— Comme ça, je m'en souviens pas, mais en tout cas, on racle chaque année avant Noël.

Le Comte, qui donnait pourtant rarement son avis sur quoi que ce soit et qui faisait encore plus rarement des propositions, dit, à la surprise de tout le monde :

— Je ne crois pas que la dame serait choquée de voir ni les abords ni l'intérieur. Des ordures, elle en a vu son compte à bord de la *Vesle Mari*. Mais il n'est pas impossible qu'elle soit passablement effrayée en nous voyant.

Il laissa tranquillement son regard glisser de l'un à l'autre.

— Le Comte a raison, dit Herbert, il faut qu'on se lave.

Plusieurs d'entre eux approuvèrent et Museau demanda :

— Faut aussi qu'on se change ?

Mads Madsen déclara :

— On range, on se lave, on se coupe les cheveux et on enfile les costumes de gala. C'est la première fois, d'après ce que je sais, dans l'histoire du nord-est du Groenland, qu'une dame visite la côte. Et là, crébordel, faut la recevoir avec dignité.

Le reste de l'après-midi passa à négocier ces diverses propositions. Beaucoup étaient pour, quelques-uns contre. Valfred essaya d'opposer son veto parce qu'il ne voulait ni se laver, ni se couper la barbe, ni enfiler le costume national. S'il vivait en Arctique, c'est qu'ici on avait son libre arbitre pour faire ce que diable on voulait, et si la dame ne pouvait pas le prendre comme il était, il valait sûrement mieux qu'elle reste à bord ou qu'elle débarque ailleurs sur la côte.

Lause, le Lieutenant et Mads Madsen, qui se prononçaient clairement en faveur du nettoyage, firent donc la contreproposition de cacher Valfred le temps de la visite. Valfred n'avait rien contre. Quand on lui dit qu'on lui servirait ses repas plusieurs fois par jour dans la cabane annexe, qu'il aurait la compagnie d'une bouteille d'eau-de-vie et pourrait dormir tout son soûl, il fut on ne peut plus satisfait. Au cours de la soirée, le vent du nord tomba et commença à relâcher sa prise sur la glace. La pression vers la terre diminua et les plaques de glace amassées commencèrent lentement à se disperser. Avant minuit, il y avait de grands sillons libres jusqu'à la côte, et le champ de glace, maintenant disloqué, s'étendait comme un grand patchwork à un demi-mille marin de la côte. La *Vesle Mari* fit marche arrière, donnant des coups et peinant pour sortir des amas de glace et rentrer dans les sillons de mer libre. Le capitaine Olsen travaillait dur dans son nid-de-pie, presque aussi dur que les chasseurs à Kap Thompson.

Les provisions de savon noir de la maison furent épuisées au cours de la nuit. Pour une part dans le bassin contre la planche à laver, et pour une autre à l'intérieur. Le Lieutenant qui, avant d'embrasser la carrière militaire, avait été apprenti coiffeur, laissa ses ciseaux faucher d'énormes touffes de cheveux et de barbe. Les chandails de laine gras retrouvèrent, presque propres au cours de la nuit, un semblant de bonne odeur, les chandails islandais laissant, quant à eux, la place aux chemises de parade, aux cols empesés et aux manchettes détachables. Mads Madsen qui, en Europe, avait été un peu dandy, avait d'abondantes réserves d'habits de cérémonie, et en prêta volontiers à ses amis. Bjørken n'arrivait pas vraiment à composer avec son plastron de chemise amidonné. D'une part, parce qu'il était de quelques pointures trop grand, et d'autre part, parce que ça cachait complètement le trois-mâts carré qu'il portait sur la poitrine, ainsi que d'autres décorations. Sa seule consolation était que le dragon cracheur de flammes, qui appartenait, comme on le sait, à William le Noir, serait également invisible, et il vivait dans l'espoir secret qu'il ne viendrait pas à l'idée de William de montrer son bijou à la dame.

La cabane fut nettoyée du sol au plafond. Herbert et Anton raclèrent d'abord le sol avec quelques débris de verre pour décoller la couche supérieure de crasse, puis Siverts et Fjordur nettoyèrent la terrasse à force de balais de bouleau et d'eau savonneuse. Mads Madsen fourra tous les sacs de couchage graisseux dans la cabane annexe où Valfred s'était déjà installé avec sa bouteille d'eau-de-vie. Enfin, on polit la cuisinière à l'huile de phoque et on brossa le plafond noir de suie, de manière à ce qu'aucune plaque de suie ne puisse se détacher et tomber au cours de la visite. Une fois tout cela effectué, le Comte prépara du thé et on s'installa dehors, au soleil.

Étrange assemblée que celle qui, assise sur le banc dans le soleil du matin, regardait les derniers efforts de la *Vesle Mari* pour atteindre la terre. La théière fumante resta intacte sur la table devant les hommes.

On aurait dit que les chasseurs de l'est du Groenland avaient rétréci au lavage. Mads Madsen, qui avait toujours eu l'air d'un géant dans son chandail islandais, avait maintenant un aspect assez ordinaire, et Bjørken, qui d'habitude avait l'air ordinaire, n'avait plus, maintenant, que la peau sur les os. On constata que la chevelure de William le Noir avait caché un curieux crâne en forme d'œuf, et on découvrit que Museau n'avait pas de menton quand Lodvig, en revanche, en avait trois.

L'habillement était également tout à fait remarquable. Il était assez disparate, du fait que Mads Madsen n'avait pas rapporté seize costumes de parade lors de sa dernière permission. Trois plastrons de chemise amidonnés, qui étaient prêts dans sa valise pour son prochain voyage en Europe, allèrent respectivement à Bjørken, Museau et Mads Madsen lui-même. Les autres chasseurs durent se contenter de chandails bleus ou d'anoraks de toile. Deux chapeaux mous furent prêtés à Siverts et Fjordur, un chapeau melon au Comte, et un costume d'été à gros carreaux flottait lamentablement sur Lasselille. Les cravates, chaussures d'été, cols cassés et fausses manchettes avaient été distribués au jugé, de manière que tout le monde montre, par quelques signes évidents, qu'il avait, dans le temps, appartenu à la civilisation. Et voilà que la totalité de la population du nord-est du Groenland, assise sur un banc au soleil, attendait la visite d'une dame.

Qu'Herta Victoria Van Ritten soit une dame, personne ne pouvait en douter : née Hamilton dans le comté de Kent, mariée une première fois Byron-Minster, une deuxième fois Sheffield, grâce à quoi elle put mettre un « Lady » devant Herta, et une troisième et dernière fois Van Ritten. Le dernier de ses maris était hollandais, inventeur de la rose écarlate ainsi que propriétaire d'un certain nombre d'îles dans l'archipel de la Sonde.

Lady Herta était une grande voyageuse. Elle était allée dans des endroits dont personne ne connaissait l'existence avant qu'elle n'en revienne pour en parler, et elle partait chasser le buffle d'eau, le lion, l'éléphant, le tigre et autre menue bestiole partout dans le monde. Elle était membre de la très fermée Womens Explorer Society, fondatrice de l'Adventurers Club for Women britannique, et elle avait sa licence de Big Game Hunter au Kenya et dans la province indienne d'Assam.

Herta Van Ritten était une sexagénaire maigre et desséchée par le vent. Elle était coriace comme du caoutchouc et n'avait jamais montré de signe perceptible de peur. Son grand hobby était la chasse. Les pays qu'elle parcourait et les gens qu'elle rencontrait, elle ne les regardait absolument pas. Seuls le gibier et la chasse en soi l'intéressaient. De ce fait, la vision des énormes étendues de glace de la mer du Groenland ne la toucha pas le moins du monde ; elle ne voyait dans ces montagnes impressionnantes sur la côte que des obstacles irritants, qu'elle devrait surmonter avant d'atteindre le but de son voyage : le préhistorique bœuf musqué. La yole de la *Vesle Mari* accosta sur la plage et le capitaine Olsen guida Lady Herta jusqu'à la maison. Les chasseurs virent que quelque chose n'allait pas chez Olsen.

— C'est le fric, chuchota Mads Madsen à ses amis. Je vous le donne en mille qu'elle est assise sur un énorme tas de fric. Olsen devient toujours comme ça quand il renifle l'argent. Il tournaille, rit sottement et se frotte les mains.

L'assemblée fit halte à quelques mètres de la table. Olsen hocha la tête et sourit, mais ne dit rien. Lady Herta inspecta les chasseurs. Elle promena son regard aigu par-dessus toute la rangée et dilata ses narines étroites comme si elle flairait déjà du gibier. Quand elle eut examiné tous ces visages rasés de près, elle se tourna vers Olsen :

— *So, these are the natives ?*

Olsen hocha la tête et se racla la gorge. Il répondit en anglais :

— Les indigènes, bah... oui, on peut dire ça, d'une certaine manière. Il y en a aussi d'autres, un peu plus au sud.

Bjørken regarda Olsen bouche bée. Il enfila un doigt dans sa bouche et détacha sa chique d'une canine où elle s'était coincée.

— Qu'est-ce que c'est que ça, Olsen ? Qu'est-ce que tu cherches ?

Le capitaine montra la dame de l'index :

— J'ai promis un service à cette dame, dit-il. Elle s'appelle Lady Herta et elle est honorablement connue dans pas mal d'endroits. Chasseur de grands fauves et tout ça.

— Bordel !

Bjørken fixa la Lady.

— Elle va être chasseur, Olsen ? Tu comptes pas l'installer à Bjørkenborg ?

Le capitaine Olsen secoua la tête.

— Elle va faire une sorte d'excursion ici, tu sais, un safari, qu'elle appelle ça. Je crois qu'elle a l'intention de chasser le bœuf musqué.

Mads Madsen pouffa :

— Chasser des bœufs musqués ! Mais on les chasse pas, Olsen, on leur tire dessus comme à l'abattoir. Tu lui as pas dit ?

Lady Herta assista à cette conversation avec un calme olympien. Elle avait l'habitude de négocier avec les indigènes par l'intermédiaire d'un interprète et y avait acquis l'art difficile de la patience. A bord de la *Vesle Mari*, elle avait expliqué au capitaine ce qu'elle souhaitait : une dizaine de porteurs, quelques éclaireurs, un cuisinier et un boy personnel pour la servir et lui porter son fusil.

Olsen regarda longuement les chasseurs. Il aurait bien soufflé un mot sur leur habillement, mais estima que ce n'était pas le moment, parce qu'il fallait surtout les mettre dans un état d'esprit favorable avant de conclure le marché. Il repoussa sa casquette en arrière et dit :

— La manière dont elle va mettre à mort son bœuf, ça ne me regarde pas. Je ne suis chargé que de l'amener jusqu'ici et de l'aider un peu dans sa chasse. Pour une raison ou une autre, elle veut ramener quelques cornes de bœufs musqués à une association de couture en Angleterre et elle m'a demandé de voir s'il y en avait parmi vous qui n'avaient pas trop la flemme pour l'aider. Elle a un peu d'outillage qu'elle veut emporter dans son expédition, une tente et quelques bagatelles que je crois bien qu'elle traîne toujours dans ses safaris. Qu'est-ce que vous en dites ?

Mads Madsen, qui n'avait pas oublié le prix excessif du billet d'Emma quand, l'année précédente, il avait dû la renvoyer, demanda malicieusement :

— Et qu'est-ce que tu donnes, Olsen ?

Le capitaine se tortilla. Même s'il négociait à la place de Lady Herta, ça lui était toujours un supplice de donner de l'argent. Il respira sourdement pendant quelques longues secondes, en sueur de la tête aux pieds.

— Cinq couronnes par jour, tenta-t-il.

Mads Madsen eut un gros rire.

— Ben dis donc, Olsen, ça va pas du tout, ça ! La chasse au bœuf musqué, ça peut être dangereux, pas vrai ? Tu crois quand même pas qu'on va mettre nos vies en jeu pour cinq couronnes par jour ! Va donc un peu plus au sud pour voir si tu trouves des idiots là-bas, qui se laissent prendre à ton piège à cons.

D'une voix vibrante, Olsen monta l'offre à dix couronnes.

— On s'approche, dit Mads Madsen. Si tu avais offert le double, je crois presque qu'on aurait dit oui.

— Quinze alors, chuchota Olsen, la voix rauque.

Une sueur froide lui coulait des cheveux dans la nuque, puis le long du cou, et ramollit son col raide.

— Que pensez-vous de quinze couronnes ?

— On aurait préféré dire non, répondit Mads Madsen, mais, comme il s'agit d'une dame, on se sent obligés de dire oui. On peut pas lui laisser monter ses bagages toute seule dans la vallée.

Olsen eut un soupir de soulagement. Il se tourna vers Lady Herta et brossa un bref résumé des négociations, haussant toutefois l'offre à vingt couronnes. Il n'essaya pas de baisser la voix, persuadé qu'aucun des chasseurs ne connaissait la langue anglaise. Mais là, il se trompait. Parce qu'Anton Pedersen était bachelier et quand il entendit que la somme avait été augmentée à vingt couronnes, il cria haut et fort à l'escroquerie.

— Quoi ?

Herbert regarda son jeune compagnon.

— C'est de l'escroquerie, cria Anton. Il lui demande vingt couronnes, mais ne nous en donne que quinze.

Mads Madsen eut un sourire doucereux pour Olsen :

— C'est du joli, ça, Olsen ! Du coup, j'sais plus du tout si on en a encore envie. En fait, on est très bien ici à Kap Thompson, pourquoi on irait trimbaler les affaires de la dame pour que tu t'engraisses sur notre compte ? Eh non, Olsen, je crois qu'on va rester à la maison, crénom.

Olsen rougit fortement :

— Vous aurez vos vingt couronnes.

— Non, nous aurons trente couronnes, répondit Mads Madsen. La dame en paye quinze, et toi quinze de ta propre poche.

Il se tourna vers ses copains.

— Que pensez-vous de ça ?

Tout le monde était d'accord. Sauf Olsen. Mais comme il ne pouvait pas révéler à Lady Herta qu'il n'était qu'un ignoble escroc, il accepta donc, bouillant intérieurement de fureur.

On se serra les mains, ce qui était aussi valable qu'un contrat, et on décida de commencer le lendemain matin.

On entend parfois décrire les chasseurs du nord-est du Groenland comme un peuple porté sur la fête. C'est probablement vrai si on veut dire par là que c'est un peuple qui a le goût de la fête. Peut-être cela prend-il sa source dans la monotonie de la vie quotidienne, la dureté du travail et l'isolement. Ou peut-être cela vient-il du fait que, dans cette partie du monde, on est plus joyeux, plus insouciant et plus ouvert qu'ailleurs aux possibilités de faire la fête qu'offre la vie.

Les chasseurs est-groenlandais ne sont, en fait, pas différents des autres gens ailleurs de par le monde. Ils ont simplement d'autres possibilités. A celui qui vit toute sa vie derrière le grillage protecteur de la société, imaginer de vivre en Arctique doit donner la chair de poule : la désolation des étendues de glace, la solitude effrayante, une existence chaste de moine dans un monde infini et ingrat. Il est difficile de comprendre qu'on y reste, de sa propre volonté, année après année, et qu'en plus, on s'y plaise.

Mais pour qui a le désert dans le sang, c'est différent. La désolation n'est jamais désolante. Chaque montagne, chaque vallée, chaque fjord et chaque iceberg cache des surprises. La solitude est rarement trop lourde à supporter et souvent l'isolement donne un merveilleux sentiment de liberté. Le pays polaire est plein de vie et de changements. Il n'y a pas d'obstacle, si ce n'est les éléments, pas de patron, si ce n'est la nature, et pas de lois, si ce n'est celles qu'on décide entre hommes. Les gens de là-haut ne sont pas différents, mais peut-être simplement un peu plus heureux à cause des circonstances.

Voilà donc seize chasseurs qui fixaient la yole repartant pour la *Vesle Mari*. Assis au soleil couchant, ils se demandaient à quoi ils s'étaient en fait engagés. Venant de la cabane annexe, on entendait le ronflement rythmé de Valfred, et dans la cuisine le fracas du Comte, avec ses casseroles.

Mads Madsen, qui était le seul à ne pas s'être rasé, partageait sa barbe, méditatif, en une fourche coquette.

— On pouvait pas vraiment dire non à la dame, pas vrai, dit-il à voix basse, parce que c'est la première fois que nous avons un chasseur de gros gibier ici.

Du regard il faisait appel à ses amis, mais n'arrivait pas à capter le leur.

— Trente couronnes par jour, c'est pas rien non plus, renchérit-il.

Le Lieutenant ne quittait pas la yole des yeux.

— Ce tas d'os me rappelle un colonel qu'on avait quand j'ai débuté dans l'armée, dit-il lentement, comme pour lui-même. C'était ce genre de long diable sec, mais à cheval.

Personne ne répondit parce que personne ne s'intéressait particulièrement au colonel du Lieutenant.

— Une fois, il nous a fait marcher de Fredericia jusqu'à la Montagne du Ciel — plus de soixante kilomètres, continua le Lieutenant. On trottait derrière lui et son canasson, cent vingt hommes avec fusil et sac à dos.

Il cligna des yeux et se perdit un peu dans ses souvenirs.

— Avec vingt-cinq kilos de sable dans chaque sac à dos.

Il ferma les yeux tout à fait et continua :

— Au début, on voyait ce démon décharné qui jubilait là-haut sur sa selle, mais petit à petit il est devenu flou et à la fin il a disparu complètement. On marchait et on marchait et on ne voyait plus rien. Avec un fusil et vingt-cinq kilos de sable dans le sac à dos. Au début, on pensait à des tas de choses, surtout à ce qu'on avait envie de faire du colonel. Mais à la fin, on ne pouvait même plus penser. On avançait en pataugeant, comme un gros abcès infecté partout.

Personne ne disait rien. Mais certains se demandaient de quoi serait fait le lendemain.

— Celle-là, dit le Lieutenant, ressemble fichtrement au colonel. Elle est exactement le genre de personne qui serait capable de charger vingt-cinq kilos sur la nuque de quelqu'un et de lui ordonner de marcher de Fredericia jusqu'à la Montagne du Ciel et retour le lendemain.

Mads Madsen rit nerveusement.

— Ta, ta, ta, Hansen. Tu vois les choses plus noires qu'elles ne sont. Ne va pas au-devant des soucis, peut-être qu'elle n'a que sa tente et quelques affaires de toilette. Peut-être qu'elle a aussi du vrai scotch ou du gin avec elle. J'ai entendu dire que les dames anglaises buvaient pas mal.

Il se leva et passa la tête par la fenêtre.

— Dis donc, Comte, si tu fais un petit effort, j'offre quelques bouteilles pour le repas, parce qu'il faut bien célébrer dans les formes le deuxième bateau de l'année.

Ils firent la fête presque toute la nuit et cuvaient encore quand les protagonistes de la chasse débarquèrent du bateau le lendemain matin.

Le capitaine Olsen passa du temps à les secouer pour les réveiller et Herta Van Ritten ne fut aucunement surprise à la vue de ses caravaniers. L'expérience lui avait appris que, partout dans le monde, les indigènes étaient les mêmes. Ivrognes, de mauvaise foi et passablement paresseux. Ce que confirmait pleinement la vision des chasseurs blêmes et gémissants qui sortaient par la porte en vacillant et s'affalaient sur le banc devant la maison.

Elle les fixa d'un regard aigu et tapota contre ses longues bottes à lacets le rouleau comportant la liste de porteurs qu'elle avait élaborée sur le bateau.

Le capitaine Olsen pestait. Il parlait de l'honneur de la Compagnie et du respect du drapeau, deux notions dont Olsen n'avait pas grand-chose à faire, vu que, premièrement, il était affrété pour le voyage par Herta Van Ritten qui s'était offert ses services à titre privé, et que, deuxièmement, il était norvégien. Mais Olsen était de méchante humeur. L'idée de tout cet argent qu'il devait rajouter quotidiennement de sa propre poche le rendait grognon. Il était très pressé de partir descendre ce satané bœuf.

Mais d'abord il fallait, bien sûr, boire le café du matin. Le Comte fit plusieurs tournées avec sa grande cafetière émaillée bleue, et les hommes burent ce café comme si ç'avait été de l'eau de pluie et eux, des gouttières. Ils burent du café la matinée entière tout en lorgnant, inquiets, vers le chargement que deux matelots avaient apporté du bateau à la rame. Quand on en eut enfin terminé avec le café, on était si proche de midi que Bjørken proposa de prendre un solide repas avant de partir.

— Y a vraiment aucune raison d'entreprendre une telle marche puisqu'il faudra de toute façon faire halte au bout d'une demi-heure pour bouffer.

Assisté d'Anton et d'Herbert, le Comte entreprit de préparer une soupe de mouette, des tranches de filet mignon d'ours et du pudding au rhum. Ce déjeuner une fois dégusté, on conclut avec du café et des cigares.

C'est donc seulement en fin d'après-midi qu'on put faire partir les éclaireurs. Mads Madsen et Fjordur, qui avaient été choisis pour ce boulot passionnant, disparurent derrière la crête des collines dans la vallée. Leur tâche était de ratisser le terrain à la recherche du moindre bœuf musqué et de renvoyer des messages à la caravane sur les troupeaux qu'ils rencontreraient. Sans autre chargement que des lunettes de campagne, prêtées par Lady Herta, un fusil pour deux, des pipes et du tabac, ils marchaient d'un bon train dans la bruyère sèche.

— Faut faire terriblement gaffe de ne pas en rater, dit Mads Madsen.

Fjordur hocha la tête et envoya un regard dans la vallée.

— Y a des bœufs musqués par là habituellement ? demanda-t-il.

— En pagaille, répondit Mads Madsen. Une année j'ai compté quatorze troupeaux le même jour, rien que dans la vallée.

— Ce sera une chasse express pour la dame.

Fjordur secoua la tête.

— Pour des gens comme ça, l'argent c'est comme de l'air frais pour nous autres. Figure-toi, louer tout un bateau avec son équipage et seize chasseurs pour descendre un bœuf musqué !

— Faut s'assurer qu'elle en aura pour son argent, dit Mads Madsen. Ce serait presque dommage qu'elle se farcisse son bœuf aujourd'hui, pas vrai ? Je trouve que nous devrions faire quelque chose pour cette dame, tous les deux, Fjordur ; essayer de lui laisser un souvenir inoubliable de cette chasse.

— Comment ça ?

— Tu vois, continua Mads Madsen, quand j'ai dit que nous devions faire gaffe de pas en rater un seul, je voulais dire que nous allons prendre soin de les faire partir tous. Sans oublier le moindre petit veau, Fjordur, sinon le plaisir serait gâché pour la Lady. On lui donne quelques jours de marche et c'est seulement quand ils sont sur le point de désespérer qu'on lui envoie un bon vieux taureau sur lequel se défouler. Qu'est-ce que t'en penses?

— C'est pas idiot, déclara Fjordur après un petit moment de réflexion. Même si c'est un peu dommage pour les copains et un peu plus cher pour elle, c'est évident qu'elle en profitera mieux de cette façon-là.

Les deux éclaireurs continuèrent leur remontée de la vallée. Ils examinèrent les vallées latérales et les flancs de montagne et, chaque fois qu'ils voyaient un troupeau de bœufs, ils le chassaient loin dans la nature. Le soir venu, la première moitié de la vallée était totalement vidée de ses bœufs musqués et les éclaireurs se trouvèrent un bon endroit pour prendre un repos bien mérité.

Spectacle grandiose que cette caravane. En tête marchait Lady Herta. Elle portait un costume de chasse vert avec d'innombrables poches, des bottes lacées marron, aux semelles épaisses, et un gigantesque chapeau de toile. Des jumelles pendouillaient entre ses maigres seins; sur l'une de ses hanches décharnées se trouvait une gourde, sur l'autre une pochette pour les cartes. Un long et redoutable couteau de chasse se trémoussait lascivement contre ses fesses pointues.

Derrière suivait le capitaine Olsen; transpirant et gémissant dans son uniforme de laine noire, ses bottes en caoutchouc et sa casquette au bord luisant à l'emblème de la Compagnie.

L'avant-garde était grossie d'Anton qui avait été choisi comme boy personnel à cause de ses connaissances linguistiques. Suivait la file des porteurs.

L'équipement de Lady Herta était l'équipement standard d'un safari sans prétention. Il consistait en une tente pour la nuit agrémentée d'une véranda couverte, une tente de bain qui pouvait contenir une baignoire pliable et un système de douche, des W.-C. chimiques, une tente de cuisine, de la vaisselle et des couverts pour dix-huit, trois tables, un lit de camp, trois chaises pliantes, ainsi que des provisions de bouche pour quatorze jours. En plus, on trimbalait une caisse de six bouteilles de gin et une autre de douze bouteilles de champagne Louis Roederer. Côté équipement de chasse, on trouvait des fusils et des munitions pour exécuter tout gibier depuis le lemming jusqu'à l'ours, dans un rayon de cent kilomètres, quatre machettes courbées, une chaise de chasse à un pied, un lasso, ainsi que huit crécelles pour rabattre le gibier.

Toutes ces merveilles avaient été réparties sur les épaules des porteurs. Le capitaine Olsen retrouva presque sa bonne humeur quand il vit les lourds fardeaux imposés aux chasseurs. Il se frottait les mains, marchant de long en large devant la file, compatissant, demandant des nouvelles du confort de l'un ou de l'autre, s'inquiétant mielleusement de savoir si la charge n'était pas trop lourde ni les cordes trop serrées.

Bjørken pestait et trébuchait, et se vouait à l'enfer le plus noir de s'être embarqué dans cette galère.

— Où diable sont donc passés ces putains de bœufs ? souffla-t-il. Si on n'en trouve pas un bientôt, je vais finir par me casser le dos sous cette foutue baignoire.

— Ça va sûrement pas tarder, le consola Museau. Y en a toujours en cette saison, tu le sais bien. Mads Madsen et Fjordur vont bientôt tomber sur un troupeau à nous rabattre.

Mais les heures passaient et on ne vit pas même

un chat. Le capitaine Olsen commençait à s'angoisser. Il pensait aux quinze couronnes par porteur qu'il devait débourser quotidiennement ; il rattrapa Herbert et lui demanda, nerveux, s'il n'était pas curieux qu'on n'ait pas encore rencontré le moindre animal.

— Curieux ?

Herbert s'essuya la sueur de devant les yeux et regarda Olsen.

— Ben, j'pense vraiment pas qu'on puisse dire que ça soit curieux. Mais t'aurais jamais dû envoyer Mads Madsen en éclaireur, mon petit Olsen. Par contre, tu vois, c'est ça que je trouve curieux.

Olsen se frappa le front à en faire reculer sa casquette.

— Doux Jésus, murmura-t-il, t'as raison, Herbert, quel con je fais !

— Puisque tu le dis toi-même, convint Herbert, c'est pas moi qui vais te contredire.

Lady Herta monta un premier camp au Lac des Perdrix, à environ onze kilomètres de Kap Thompson. Les indigènes du nord-est du Groenland étaient à ce moment-là quasi paralysés par l'épuisement. Ils râlèrent quand la direction de l'expédition donna l'ordre de monter les tentes, d'allumer un feu de camp, de déplier la baignoire de Lady Herta et de la remplir d'eau du lac préalablement réchauffée. Le capitaine Olsen retrouva un peu de sa bonne humeur en voyant l'état d'épuisement des porteurs. Il fit sa tournée de l'un à l'autre, pas avare de bons conseils pour leurs dos douloureux, leur rappelant à tout bout de champ qu'un accord était un accord et qu'il ne fallait pas croire qu'on arrivait à gagner trente couronnes par jour rien qu'en dormant.

Dans la tente de cuisine, le Comte faisait rissoler

à toute force. Il préparait une entrée de crevettes en boîte, avec citron et mayonnaise, une soupe de légumes secs ainsi qu'un plat principal de corned-beef, qu'il assaisonna d'une main leste et auquel il ajouta un hachis de feuilles de bouleaux arctiques. Comme dessert, des tranches d'ananas dans de « l'eau de craie » battue arrosées de gin Gordons. Quand tout fut prêt, le capitaine Olsen accompagna Lady Herta à table. Levant sa flûte de champagne, il lui souhaita bonne chasse.

Les porteurs étaient allongés autour du feu à regarder la tente. Un spectacle singulier se déroulait devant leurs yeux fatigués. Sur la toile de la tente, les silhouettes des personnages se dessinaient, ténues et nettes, comme dans un théâtre d'ombres javanais. Ils voyaient clairement le gros capitaine, l'osseuse Lady, et le Comte qui tourbillonnait autour d'eux servant et remplissant les verres.

— Qu'est-ce qu'ils se disent, là-dedans ? demanda Bjørken à Anton en chuchotant.

Anton écouta un moment.

— Elle parle de chasse, dit-il. Quelque chose avec un tigre qu'elle a descendu là-bas, tout là-bas, où il fait chaud.

Il se mit une main derrière l'oreille pour mieux saisir les voix. Lasselille allait dire quelque chose, mais les autres lui firent chut.

— Elle dit qu'elle ne prend jamais qu'une seule cartouche quand elle va à la chasse au tigre, dit Anton.

— Fichtre, chuchota Museau, en plus elle est radin, dis donc !

— Chut...

Anton écoutait à nouveau.

— Elle dit qu'on n'a droit qu'à un coup avec un

tigre. Si on rate la première fois on n'a plus aucune chance.

— Mais il pourrait y avoir deux tigres, objecta Museau, ou ça pourrait être une femelle avec quelques grands rejetons. Putain, comment fonctionne ce genre de bobonne ?

— Les bobonnes, grogna Bjørken en massant ses épaules douloureuses, là où la baignoire pliante avait pesé tout l'après-midi, on devrait pas laisser des calamités pareilles battre la campagne avec un fusil chargé. Qu'est-ce qu'elle raconte encore, Anton ?

— Quelque chose au sujet de bouffer des indigènes.

Herbert rigola.

— Elle a sûrement été chez les cannibales aussi, faut croire. Et là, hé, ben bordel, là au moins elle peut circuler sans risque. Vous imaginez, être cannibale et recevoir la visite de ce genre de châssis, ça vous ferait presque devenir végétarien.

— C'était le tigre qui bouffait les indigènes, andouille, dit Anton. Le tigre qu'elle a descendu, donc. Il sautait d'un arbre et elle l'a décapité d'un coup de fusil, avant même qu'il touche terre.

— Pas de chance, grogna Herbert.

En gémissant, il se pencha en arrière dans la bruyère et pensa avec horreur à la marche du lendemain.

Un peu plus haut dans la vallée, Mads Madsen et Fjordur se reposaient. Ils avaient descendu deux perdrix et les avaient grillées au feu de bois, et maintenant, après le repas, ils somnolaient. Mads Madsen calculait à s'en faire éclater la cervelle. Ils étaient seize hommes, et Olsen devait verser quinze couronnes par homme et par jour. 10 fois 16, ça faisait 160. Il demanda à Fjordur de se souvenir de ça. Il restait donc 5 fois 16, et, en utilisant les doigts, cela faisait donc 50 et 30, c'est-à-dire 80. Fjordur lui rendit ses 160 et il les ajouta aux 80. Ce qui voulait dire qu'Olsen devait débourser deux cent quarante couronnes par jour. Pauvre Olsen. Mais luimême avait dû payer le billet d'Emma en peaux pour environ six cents couronnes, Olsen devrait donc payer pendant trois jours.

— Elle aura trois jours de chasse, déclara-t-il.

— Pourquoi justement trois ? demanda Fjordur.

— Parce que c'est raisonnable pour tout le monde, répondit Mads Madsen.

Il enroula sa veste et se la passa sous la tête. Et il s'endormit avec un sourire satisfait caché sous sa barbe rousse.

Les jours passèrent. Le premier, le deuxième et le troisième. Les chasseurs étaient au bord de la décomposition. Ils avançaient en titubant sous les bagages de Lady Herta, suant, jurant et crachant en même temps. Le capitaine Olsen était, lui aussi, au bord de l'épuisement. Ses pieds qui habituellement ne se déplaçaient guère plus que de bâbord à tribord avaient enflé, s'étaient agrémentés d'abcès pleins de pus et dégagèrent au bout d'un moment une telle odeur qu'il n'osa plus quitter ses bottes en caoutchouc en présence de Lady Herta. L'idée de sa contribution personnelle à la chasse le tourmentait jour et nuit.

Bjørken était en piteux état. Son long corps osseux était plié à presque quarante-cinq degrés sous la baignoire et ses accessoires, et un filet ininterrompu de sueur coulait de son nez jusqu'à terre.

— Si cette malade n'a pas son bœuf aujourd'hui, moi je mets les bouts cette nuit, chuchota-t-il d'une voix rauque au Lieutenant.

— Si ça n'avait pas été une question d'honneur, je serais parti aussi.

Le Lieutenant regarda Bjørken à travers un brouillard rouge.

— Ton honneur, tu peux te le foutre où je pense, gémit Bjørken.

— Elle est comme le colonel dont je vous parlais.

Le Lieutenant Hansen courbait le dos sous le poids de la tente de cuisine et la caisse d'ustensiles.

— Un démon insensible, un...

Il se raidit soudain et agrippa le bras de Bjørken.

— Regarde !

Bjørken redressa le corps et leva la tête.

— Un bœuf.

Il regardait, incrédule, vers une petite vallée latérale.

— Seigneur, mon petit Hansen, un vrai bœuf bien vivant.

Et il cria de tous ses poumons :

— Un bœuf ! Un bœuf !

Lady Herta l'avait vu. Elle leva la main droite et Olsen hurla la halte ; ordre mis à exécution sans délai par les porteurs.

Le bœuf musqué paissait près d'un petit étang. C'était un vieillard gris, raide sur ses pattes et aux cornes usées. Lady Herta l'étudia à la jumelle et hocha la tête, satisfaite.

— *A beautiful beast*, murmura-t-elle à Anton qui était le plus proche. Apportez-moi mon Springfield et les balles acier pour gros gibier.

A Olsen, elle dit :

— Envoyez deux hommes avec des crécelles derrière la bête pour qu'elle ne s'échappe pas. Ne les faites pas rabattre avant que je sois en position.

Le capitaine Olsen transmit l'ordre à Bjørken et Museau, et ordonna au reste de la caravane de se coucher dans la bruyère et de s'y tenir tranquille.

Lady Herta enfila une cartouche dans la culasse, déverrouilla et se coula, genoux pliés, en direction du taureau. Quand elle se trouva à environ trente mètres de son adversaire, elle donna l'ordre aux rabatteurs de commencer. Bjørken et Museau, maintenant derrière le taureau, agitaient leurs crécelles et aboyaient comme des chiens. Mais le taureau restait tranquillement là, sans bouger. C'était un très vieux taureau avec le jarre tout blanc traînant par terre, et son ouïe autant que sa vue étaient probablement diminuées. Il leva la tête un bref instant, jeta quelques regards pleins de réprobation derrière lui et continua à paître avec un calme imperturbable.

— Tirez, bordel ! hurla le capitaine Olsen hors de lui.

Il imaginait le taureau perdant patience et mettant les voiles avant que bobonne ait tiré, ce qui signifiait qu'on pourrait se réjouir de nouveaux jours de tourments.

Lady Herta répondit froidement :

— Ceci est une chasse, capitaine, pas un meurtre !

Ses yeux ne quittaient pas le taureau.

Museau et Bjørken étaient maintenant tout près du taureau. Bjørken lui tapota le flanc et l'encouragea :

— Fais donc quelque chose, camarade, bouge un peu pour qu'elle puisse tirer et qu'on rentre à Kap Thompson.

Mais le bœuf ne bougeait pas. Museau attrapa le petit bout de queue caché sous la fourrure. Il la vrilla comme on fait pour faire avancer les cochons et Bjørken poussa de toutes ses forces. Mais le taureau resta où il était. Ils n'arrivèrent pas à le déplacer d'un pouce. Pour se débarrasser de ces trublions, il rua maladroitement et envoya balader Bjørken et Museau à quelques mètres de là. Museau en perdit ses lunettes et il fallut que Bjørken l'aide à les chercher.

Le bœuf continua tranquillement à brouter l'herbe. De temps en temps, il lorgnait en direction de cette curieuse baguette fanée qui était sortie de la terre et il s'approcha pour voir s'il se trouvait quelque chose de mangeable dessus. Et alors, la baguette fit feu. Lady Herta toucha exactement là où elle savait d'expérience qu'il fallait toucher un bœuf, et le taureau s'arrêta, surpris. Il fixa la baguette qui maintenant fumait bizarrement d'une branche latérale; il se sentit un peu mou sur ses cannes, remua la tête et grogna furieusement. La balle, qui s'était écrasée contre son front, tomba par terre, tout aplatie.

Lady Herta s'attendait à chaque instant à ce que les pattes se dérobent sous le bœuf et qu'il se couche dans la bruyère, raide. Mais le taureau ne l'entendait pas de cette oreille. Il cligna des yeux, tendu, comme si le coup le faisait voir double, il meugla, agacé, contre la baguette, tourna le dos à la Lady et partit en vacillant avec un mal de crâne féroce.

— Tirez dessus par-derrière! hurla le capitaine Olsen. Et embarquez-le, bordel de merde, qu'on puisse rentrer!

Lady Herta s'accroupit, ses fesses pointues contre les chevilles, et ferma les yeux. Elle déposa le fusil et fouilla dans la poche ventrale de sa veste de safari pour trouver une cigarette.

— *Fair-play*, murmura-t-elle, impossible d'expliquer ce genre de chose à un chasseur de phoques.

Elle se leva et dit à Olsen, qui arrivait en courant du mieux qu'il pouvait dans ses bottes en caoutchouc :

— On fait demi-tour, Capitaine.

— Mais vous pouvez encore le descendre, objecta le capitaine.

— Ce sera comme j'ai dit, on fait demi-tour, répéta Lady Herta. J'ai tiré mon bœuf musqué, c'est ce que je voulais.

C'est un troupeau déconfit qui traîna les pieds jusqu'à Kap Thompson. Ils marchaient dans leurs beaux vêtements de cérémonie, qui alors n'étaient plus très beaux ; ils charriaient les bagages de Lady Herta et pensaient que c'était décidément une bonne femme bien bizarre. « Suppose qu'il y ait une sorte de morale dans cette histoire, pensa Herbert. Et si on a les moyens de ce genre de chose, c'est en fait assez sympa, enfin j'trouve. »

— Presque noble, dit Lodvig à voix basse. Il y a quelque chose d'incontournable chez elle. Une dame. Je ne savais pas ce que c'était, une vraie dame, maintenant je sais.

— Un peu comme venue d'un autre monde, n'est-ce pas, Bjørk ? dit Lasselille.

Bjørken grogna. Les cordes de la baignoire lui cisaillaient atrocement les épaules.

— D'un autre monde, oui. Et où elle aurait bien dû rester. Ce genre de dames ne devrait pas venir ici leurrer les braves gens pour qu'ils transportent leur cinq-pièces-cuisine-salle de bains à travers la cambrousse.

Il enfonça les pouces là où ses épaules lui faisaient le plus mal.

— Mais le coup a touché exactement là où il devait, si on n'y connaît que dalle dans les bœufs musqués. Et elle n'est pas nerveuse, la chipie, ça, faut reconnaître.

— Elle pourrait faire un bon chasseur, dit Lasse-lille.

— T'y penses pas, trancha Bjørken. Elle crèverait de faim, avec les principes moraux qu'elle a.

Siverts sortit une manchette détachée de sa poche et s'essuya le front.

— D'une certaine manière, c'est un peu dommage qu'elle ne ramène pas ses cornes. On a l'impression qu'on l'a un peu roulée.

Il n'était pas seul de cet avis.

— Peut-être qu'on devrait faire quelque chose, dit Lodvig, tout en vacillant sous le lit de camp, la table et les chaises. On devrait prévenir Fjordur et Mads Madsen avant d'arriver à Kap Thompson.

Valfred avait dormi tout son soûl pendant deux jours. De temps à autre, il s'était réveillé, histoire de manger un peu de rôti froid et de lamper quelques gorgées à même la bouteille. Le troisième jour, il rampa hors de la cabane pour se soulager de toutes ces accumulations, et quand il se sentit convenablement reposé, il s'installa devant le pignon pour pomper un peu de chaleur au soleil. Il se mit à penser au bon vieux temps et disparut totalement en lui-même. C'est pourquoi il n'entendit pas le retour du chef de l'expédition.

Lady Herta, qui avait pris de l'avance par rapport à la caravane épuisée, arriva à la maison une demi-heure avant les autres. Elle vit un Valfred somnolent et resta longtemps à le contempler. Voilà enfin quelque chose qu'elle pouvait apprécier. Un pur indigène de l'est du Groenland. Voilà une vision qu'elle pouvait ramener à l'Adventurers Club for Women à défaut de ses cornes de bœuf musqué. Elle nota soigneusement tous les détails. L'anorak taché de graisse, la barbe hirsute, les sains et magnifiques alignements de dents qui étaient visibles, car Valfred dormait toujours la bouche ouverte. Elle scruta le visage par ailleurs si délabré, l'énorme nez qui brillait comme une lanterne violette, et quand Valfred tout à coup ouvrit les yeux, elle découvrit deux yeux larmoyants, d'un bleu de glace. Ses narines frémirent à l'odeur qu'il dégageait, une odeur qu'elle n'avait jamais rencontrée auparavant, et elle constata avec satisfaction que c'était comme si lui aussi reniflait à son tour.

Si Valfred constituait une bonne surprise pour Lady Herta, elle constituait, elle, en revanche, une déception pour Valfred. La dame était plate comme une planche à laver, habillée comme un bonhomme, froide et muette comme une huître des bancs de la Baie des Rennes. Si Bjørken appelait ce sac d'os une dame, c'était parce que Bjørken ne savait pas comme se présentait une dame. Valfred renifla profondément, mais sans sentir la moindre odeur de chou. Il se leva et catapulta un jet de sauce de chique entre ses deux rangées de dents en porcelaine.

— Beurk, fit-il, et il passa devant Lady Herta pour retourner dans sa tanière.

Mads Madsen et Fjordur avaient rejoint la caravane entre-temps et portaient, à deux, la tête du vieux bœuf. Quand ils arrivèrent à Kap Thompson, ils la déposèrent devant les bottes à lacets de Lady Herta, et Anton expliqua de leur part :

— Ils observaient la chasse de là-haut, en montagne, et quand le bœuf est parti, ils l'ont suivi.

Lady Herta hocha la tête. Elle regarda les cornes usées. Anton continua :

— Ils l'ont suivi un jour et une nuit jusqu'à un endroit qui s'appelle la Rivière des Vanneaux, et là le bœuf s'est couché, mort.

Lady Herta montra du doigt la tête de taureau et dit à Olsen :

— Vous voyez, Capitaine. Une seule balle suffit, si on touche où il faut.

— Hum, émit Olsen, en balançant un regard sévère à l'adresse de Mads Madsen qui était justement en train de raconter aux copains que le bœuf était certainement mort de vieillesse.

» Mieux vaut rentrer à bord, dit-il en sortant un sifflet pour appeler une yole à terre.

— N'oublie pas le règlement ! cria Mads Madsen. Dommage qu'il ait fallu si longtemps, Olsen, mais les bœufs étaient comme ensorcelés et couraient vers la montagne dès qu'ils nous voyaient, Fjordur et moi.

Olsen le regarda avec aigreur et sortit son portefeuille. Ce fut un des moments les plus difficiles de sa vie.

Ils étaient tous alignés sur la plage à faire des signes à la yole de la *Vesle Mari* quand elle s'éloigna à travers la glace. Ils agitaient les bras, souhaitant bon voyage, debout dans leurs vêtements de parade froissés, regardant cette femme maigre qui trônait à la proue, sa tête de bœuf musqué sur les genoux.

— C'est sans doute la dernière dame qu'Olsen entraîne jusqu'ici, rigola Mads Madsen.

Bjørken se frotta les épaules.

— Museau, Lasselille et moi, on fout le camp cette nuit, promis. Au cas qu'ils arriveraient pas à sortir de la glace, ou qu'ils feraient naufrage près de la côte. Vous vous imaginez de voir ce spectre hanter le pays tout l'hiver...

Au milieu des glaces, Lady Herta se tenait sur le pont avec le capitaine Olsen. Elle tenait entre les lèvres une cigarette au bout d'un long fume-cigarette et une fine spirale bleue faisait des volutes sous le plafond bas du kiosque de navigation.

— C'est étrange, Capitaine, dit-elle, à quel point on rencontre les mêmes comportements partout dans le monde. Je n'ai pas rencontré une seule tribu qui n'ait adoré s'habiller à l'européenne. Ça a l'air complètement ridicule quand ils enfilent ce genre de choses, exactement comme si nous deux nous nous mettions à porter des jupons de raphia.

Olsen ferma les yeux et essaya de s'imaginer Lady Herta en jupon de raphia.

— Vous avez tout à fait raison, dit-il.

Lady Herta agita son fume-cigarette :

— D'un autre côté, c'est aussi touchant quelque part. Ils essaient de nous imiter, parce qu'ils nous admirent, ce qu'on peut difficilement leur reprocher.

Olsen murmura quelque chose d'incompréhensible dans sa barbe noire et donna un nouveau cap à l'homme de barre.

— Mais je dois avouer, continua Lady Herta, que les hommes d'ici m'ont pas mal surprise. J'ai vu beaucoup d'indigènes partout dans le monde, j'ai fait tout le spectre des couleurs, mais je n'ai jamais senti de parenté comme avec ceux-là.

Elle saupoudrait de cendres les vestiges du tapis.

— Les gens que j'ai découverts ici sont différents. Il y a quelque chose de reconnaissable chez eux, que je n'arrive pourtant pas à identifier. Vous comprenez ce que je veux dire, Capitaine ?

Olsen ne comprenait rien, mais il dit quand même oui, parce qu'il avait été engagé par la dame, et qu'ils n'avaient pas encore réglé leurs comptes.

Lady Herta se mit à marcher de long en large sur le pont.

— Dites-moi, Capitaine, cette tribu, est-ce qu'elle a quelque chose de singulier, ou est-ce qu'elle est comme la plupart des tribus groenlandaises?

Olsen enfonça les mains profondément dans ses poches. Il pensait avec douleur à la somme considérable dont on l'avait escroqué.

— Je vous assure, dit-il avec une fureur rentrée, que cette tribu est tout à fait à part sur toute la côte groenlandaise.

Le rat

... où l'on voit bien qu'on peut être chasseur, et avoir une sainte horreur des rats, et où l'on a une preuve de plus que la vengeance est bien un plat qui se mange froid...

Un été, la *Vesle Mari* dut accoster à Fimbul parce que la glace était dense et sans faille à Kap Thompson, et qu'elle n'avait pas l'air de vouloir se rompre cette année-là.

Coup de chance : un grand nombre de chasseurs du nord-est du Groenland étaient rassemblés à Fimbul parce qu'on venait d'y fêter les soixante ans de Valfred, et qu'on avait du mal à mettre un terme aux festivités. Il y avait ceux de Bjørkenborg, qui étaient arrivés déjà un mois avant le grand jour pour prêter la main au brassage de la bière, le Comte, qui s'était chargé du festin, et les chasseurs de la Cabane du Vent, qui attendaient que l'eau dans le Fjord Étroit soit assez dégagée pour pouvoir rentrer. Même l'homme de Hauna était présent. Il était arrivé en traîneau et comptait, pour le trajet de retour, sur le bateau d'approvisionnement. Mads Madsen et William le Noir, qui avaient vu le bateau du haut de la montagne au-dessus de la station, traversèrent l'Ile Plate à ski et arrivèrent à Fimbul à peu près au moment où la *Vesle Mari* jetait l'ancre.

Quand on eut entendu les nouvelles du vaste monde, on se mit à décharger. On peina comme des bêtes pour rentrer la marchandise rapidement car la glace était inconstante cette année-là et pouvait rapidement gagner jusqu'à la terre. Dès que les provisions de la côte nord furent rentrées, le capitaine Olsen voulut prendre les chasseurs de la côte du sud à bord et tenter un accostage à Bjørkenborg.

Ce fut un dur moment pour Valfred. Il venait de fêter ses soixante ans, performance qui exigeait pas mal de récupération dans les semaines suivantes. Le premier jour, il se cacha dans le grenier de la maison, le deuxième, dans une cabane annexe, mais le troisième, on l'extirpa et on l'utilisa comme comptable. C'était un travail comme un autre qui ne devait pas l'essouffler. Confortablement étendu sur huit sacs de farine, il notait ce que le chaland déchargeait à terre. C'était un poste de responsabilité qui ne l'empêchait pas, cependant, de piquer un roupillon de temps à autre. Il arrivait que le chaland mette du temps à revenir et, naturellement, Valfred profitait au mieux de ces répits.

Au cours d'un de ces longs intervalles, alors qu'il venait juste de se renverser confortablement sur les sacs, son regard tomba sur une forme brune et basse sur pattes, qui s'était assise sur le bord de la couchette et le regardait avec de petits yeux noirs.

Valfred lui rendit son regard. Il ouvrit la bouche sans s'apercevoir que ses dents du haut, qu'il avait depuis maintenant presque deux ans, tombaient avec un bruit sec. Des frissons parcoururent ses jambes, et ses derniers cheveux sur la nuque se dressèrent comme ceux d'une brosse à récurer.

— Au secours! brailla-t-il effrayé. Un rat!

Il se leva d'un bond et détala nerveusement sur la pointe des pieds. Le rat siffla furieusement. Il exhiba ses grandes incisives dans un rire méchant et disparut entre les sacs.

Les cris de Valfred parvinrent aux chasseurs occupés à bourrer les marchandises dans les cabanes annexes. Ceux de Bjørkenborg, le Comte, le Lieutenant et plusieurs autres se précipitèrent vers la plage.

— Qu'est-ce qu'il y a, Valfred? cria Bjørken. T'as fait un cauchemar? Y a un ours?

Valfred claqua des mâchoires et réussit à faire rentrer ses dents du haut.

— Y... y a un... un rat entre les sacs, bégaya-t-il nerveusement, il est grand comme un renardeau.

— Où?

Museau regarda de ses yeux myopes parmi les sacs.

— Il s'est caché au milieu, chuchota Valfred.

Voir ses copains avait eu un effet tranquillisant.

— Il était là et me fixait, et tout d'un coup il a disparu. Putain de bordel! Beurk, l'horreur! Qu'est-ce que j'ai eu la trouille, hé, hé, les rats n'ont jamais été mon point fort.

Les chasseurs s'approchèrent des sacs. Personne n'était particulièrement zélé. Un rat n'incite pas à la même fièvre de chasse qu'un bœuf musqué ou un morse.

Le Comte, qui, en théorie, savait énormément de choses dans presque tous les domaines, s'approcha sans crainte.

— Très intéressant, murmura-t-il. Je crois que

c'est assez inhabituel de trouver ce genre de rongeur ici.

— Ça se trouve pas, lui précisa Herbert. Il doit avoir débarqué de la *Vesle Mari*.

— Il n'y a jamais eu de rat ici, cria Bjørken, énervé. Des rats à Bjørkenborg, c'est une putain de cochonnerie et je m'y oppose ! Je ne veux ni rat ni pou ici.

— Mais ici, c'est Fimbul, objecta le Lieutenant.

— Je m'en fous, ragea Bjørken. La prochaine fois, ce sera Bjørkenborg. C'est une sale engeance et Olsen n'a qu'à garder ses rats à bord.

Le Comte tâta les sacs du bout de sa botte.

— S'il vient de la *Vesle Mari*, on peut presque avancer qu'il appartient à l'espèce *Rattus norvegicus*, assez grand, gris-marron avec une queue courte et de petites oreilles. Est-ce exact, Valfred ?

— Quelque chose comme ça, Comte. Un grand diable avec des dents effroyables.

Le Comte hocha la tête.

— C'est en fait tout ce que je sais au sujet des rats, dit-il, et avec ces connaissances minimales, je ne suis probablement pas qualifié pour mener la battue.

Il joignit les mains dans le dos et regarda les sacs d'un air pensif.

— S'il appartient à la *Vesle Mari*, nous n'avons vraisemblablement même pas le droit de le chasser.

— Le Comte a raison ! s'exclama Lodvig.

Il avait terriblement peur des rats.

— Il est évident que le rat vient du bateau, sinon, d'où viendrait-il ? Et comme c'est leur rat, qu'ils viennent se le rechercher eux-mêmes.

Bjørken rugit.

— Et Olsen va être informé, sans ménagements.

A quoi ça ressemble de mouiller sans précautions contre les rats ou en jetant les marchandises dans la yole sans les examiner, quand on a son rafiot bourré de ces sales bêtes ?

Le Comte se pencha en avant et souleva légèrement un sac.

— Vous avez, bien sûr, tous raison, dit-il calmement, mais je pense qu'on devrait s'assurer qu'il y a vraiment un rat. Supposons que Valfred ait rêvé...

Valfred secoua la tête.

— Pas cette fois-ci, Comte. J'étais complètement réveillé et j'ai vu cette saloperie en chair et en os.

Sous la direction du Comte, on commença à déplacer les sacs. Dès le quatrième, on débusqua le rat. Il sauta par-dessus les bottes en caoutchouc d'Herbert, passa entre les jambes du Lieutenant et fila comme une flèche vers la maison. Les hommes restèrent comme pétrifiés, personne ne bougea, personne ne fit rien. Le rat était maintenant un fait.

Une délégation de trois hommes se présenta devant le capitaine Olsen. Bjørken en était le porte-parole et, avec des tournures fortement imagées, il lui dit ce qu'il pouvait faire de ses rats. Bjørken, poussé par la rage, gonfla sa poitrine et abattit son poing sur la table à jouer.

— Et maintenant, sacré bon Dieu de bordel de merde, que le diable m'écorche, tu vas descendre à terre et récupérer tes animaux domestiques galeux. Parce que sinon, finis les chargements ici et à Bjørkenborg ! On lève plus le petit doigt, et toi, Olsen, tu remportes plus une seule peau.

Le capitaine Olsen était un homme raisonnable. Il essaya de rassurer les émissaires avec des excuses et une demi-bouteille de rhum antillais. Bien sûr, le rat devait rentrer sur la *Vesle Mari*, mort ou vif. Ici, à bord, on ne tolérait pas que des hommes ou des rats soient abandonnés. Et bien sûr, c'était à l'équipage, et non pas aux chasseurs, de capturer la bête. Maintenant ils devaient retourner chez eux, et tout rentrerait dans l'ordre de la meilleure des manières.

Sur ces mots et avec force autres promesses leur tintant aux oreilles, légèrement embrouillés par le rhum aussi, Bjørken et ses amis regagnèrent la plage à la rame.

Le capitaine Olsen médita longuement sur le problème. Les chasseurs étaient enragés et il fallait calmer les esprits, sinon il s'en retournerait avec la moitié de la marchandise et pas une peau. Il appela le quartier-maître et lui demanda d'attraper un rat convenable pour avoir quelque chose sous la main si jamais on ne retrouvait pas le fugitif.

Le quartier-maître mit du lard et des flocons d'avoine dans un piège, et, une heure plus tard, il présentait un vétéran aux moustaches grises, un vieillard qui avait peut-être embarqué au chantier naval, à l'époque de la construction de la *Vesle Mari*.

— C'est un joli spécimen, cher ami, le félicita Olsen. Maintenant on va lui donner quelque chose pour qu'il s'endorme un peu, et ensuite on descend à terre.

Il anesthésia le rat avec de l'éther pris dans la pharmacie de bord et laissa le maître d'équipage le transporter dans la poche de sa veste, où il était en permanence en contact avec le monstre.

Treize hommes partirent à la chasse au rat. Seuls, le mécanicien et le cuisinier restèrent à bord. Les préposés à la chasse au rat, en ligne devant les sacs de farine, écoutèrent l'histoire de Valfred et on leur montra le trajet de l'animal jusqu'à la maison. Ils eurent libre accès partout, observés par les chasseurs depuis la porte et les fenêtres.

Les marins se mirent à l'œuvre consciencieusement. Ils fouillèrent placards et tiroirs, cuisinière, cabanes annexes et grenier, mais ne virent pas l'ombre d'une crotte de rat.

— On ne part pas avant de l'avoir trouvé, promit le capitaine Olsen. Le rat nous appartient et en aucun cas on ne le laissera ici sur la côte.

Il eut un sourire pour le quartier-maître et chuchota :

— Il y a des limites à ce qu'on peut faire subir à un honnête rat de cale.

Le quartier-maître rit. Il enfonça la main dans la poche et pinça la peau du rat qui, du coup, gigota vivement.

— Le vieux commence à s'agiter, murmura-t-il, je le sors ?

Le capitaine opina et le maître d'équipage se mit à genoux pour regarder sous la couchette de Valfred une dernière fois. Il glissa le rat hors de sa poche et le poussa aussi loin qu'il put sous le lit.

— Eh, oh ! cria-t-il effrayé. Il y a quelque chose là-dessous qui me siffle après. Apportez de la lumière, les gars.

Bjørken arriva d'un bond, alluma la lampe à pétrole et le maître d'équipage regarda sous la couchette à l'aide de la lumière.

— Il est là, assis, cria-t-il, file-moi quelque chose, que je le tire jusqu'ici.

On lui passa un balai et il délogea le rat. Celui-ci était maintenant suffisamment sorti de l'anesthésie pour être capable de courir sur le plancher. Les matelots se jetèrent dessus, et comme il était encore trop embrumé pour prendre des décisions appropriées, il fut rapidement ceinturé. Le capitaine Olsen appréhenda le coupable par la queue et le leva pour que tout le monde le voie.

— Alors, malotru, gronda-t-il, comme ça tu croyais que sans façon tu pouvais prendre une permission sans la demander à ton capitaine, hein?

Il le secoua un peu et le fourra dans une cage que le maître d'équipage lui tendait. Puis il posa la cage sur la table et demanda aux chasseurs de rentrer.

Ils regardèrent longuement, en frissonnant, le rat qui s'était installé dans un angle de la cage, sifflait, faisait des chichis et n'avait rien d'agréable à voir.

— Ça y est, dit Olsen, satisfait. Et maintenant, il peut rester aux arrêts dans la cave pendant le trajet. Il y fait noir et la chaîne de l'ancre fait un vacarme d'enfer. Ça va lui apprendre la discipline.

Valfred montra le rat du doigt.

— C'est un rat rudement moche celui-là, Olsen, dit-il, mais c'est pas celui que j'ai vu.

— Quoi?

Olsen le regarda, furieux.

— Bon Dieu, c'est lui, sinon ce serait quoi?

— Un autre, répondit Valfred. Celui que j'ai vu était plus brun, pas un client gris comme celui-là.

— Fadaises! cria Olsen. Un rat s'est échappé du bateau, tu l'as vu, et voilà que nous l'avons rattrapé.

Bjørken tapa Valfred sur l'épaule.

— T'es complètement sûr, Valfred? Tu étais sur le point de t'endormir quand tu l'as vu, alors, est-ce que tu peux en mettre ta tête à couper?

— Je l'ai vu nettement.

Valfred observa longuement le rat dans la cage.

— Non, c'est pas celui-là. D'ailleurs vous l'avez tous vu, vous devez bien vous en rendre compte.

On parla un peu de l'aspect du rat. La plupart des

149

hommes étaient contre Valfred, et Lasselille dit que la frayeur, au cours de la chasse, avait peut-être donné le poil gris au rat, ce genre de choses étant déjà arrivé à des êtres humains, et les humains et les rats, paraît-il, se ressemblaient assez.

Olsen mit fin à la discussion avec la promesse d'envoyer deux bouteilles de genièvre par la première yole chargée.

— Valfred est une tarte, dit-il, il ne voit pas la différence entre une vache et un rat quand il a sommeil. Si ça c'est pas le rat, je suis prêt à bouffer ma vieille casquette ainsi que tous les rats qu'il arrivera à trouver dans cette cabane. Maintenant, j'estime qu'il est temps de retourner au boulot.

Soulevant la cage, il quitta la cabane, suivi par le reste des hommes de la battue au rat.

Le travail de déchargement continua, et quand on eut monté à bord les peaux de la chasse de l'année, ainsi que les chasseurs de la côte sud, on appareilla à la vapeur à travers les glaces, direction Bjørkenborg.

Le bateau et tous les visiteurs partis, Valfred et le Lieutenant s'en allèrent à la chasse aux perdrix. Il en va ainsi en Arctique que les années maigres sont, en général, suivies par des années grasses, et justement cette année-là, il y avait des perdrix sur chaque caillou du large dos de la montagne de Fimbul. Valfred et le Lieutenant en laissèrent des quantités en dépôt tout au long de la haute crête de montagne qui se perdait loin à l'intérieur du pays, vers l'inlandsis. Quand ils en eurent suffisamment pour toute l'année, ils s'adonnèrent à la pêche aux saumons qu'ils firent sécher sur les rochers, et dont ils firent ensuite des tas. Ils passèrent presque trois semaines de cette manière-là, dans l'arrière-pays derrière la station. C'est ainsi qu'arriva le début d'octobre.

Octobre est peut-être le mois le plus curieux dans le nord-est du Groenland. C'est la fin de l'été et le début de l'hiver. On quitte une période d'été pleine et joyeuse, et attend avec impatience la longue période noire dont on ne sait rien encore, mais dont on se réjouit pourtant déjà.

En octobre, les couleurs de la nature sont plus vives, plus nettes et plus nombreuses que pendant les autres mois de l'année. La glace, dans la mer, prend des couleurs avec le soleil bas et rayonne fortement de bleu, de rouge et de violet, et les sommets des montagnes, qui, chaque matin, sont saupoudrés de neige, brillent d'un bleu de glace toute la journée, pour virer au rose, et finalement au rouge sang le soir. Pendant une courte période, on peut à nouveau diviser les vingt-quatre heures en jour et en nuit, et personne ne comprend où est partie la longue journée claire de l'été, ni comment on va pouvoir survivre à la nuit éternelle de l'hiver.

Le pire en octobre, c'est le silence. L'agitation de l'été disparaît, la mer gèle de plus en plus, couvrant ainsi les dernières flaques, les rivières coulent de plus en plus faiblement pour enfin se figer, la neige nouvelle feutre l'agréable crissement des cailloux sous les bottes, et les oiseaux sont partis pour des régions plus accueillantes. On découvre une fois qu'ils ont disparu à quel point ils chantaient bien et fort. Au cours de ce mois étrange, on n'entend plus que le cri des corbeaux, quelques appels de goélands du haut ciel bleu et, loin sur la mer, le souffle d'ailes de quelques mouettes Sabine attardées.

Voyager en octobre est difficile. La neige qui arrive au cours de la nuit disparaît dans la journée, et la nouvelle glace qui prend est trop fine pour supporter la moindre circulation : les vagues la brisent sans arrêt. On ne peut pas encore courir derrière les chiens et on n'ose plus naviguer, par peur de déchirer le doublage de la yole sur la nouvelle glace. C'est pourquoi on est obligé, comme Valfred et le Lieutenant, de faire ses tournées de chasse à proximité de la station.

Au retour à la cabane de Fimbul, leurs besaces étaient pleines. Ils balancèrent perdrix et saumons dans une des cabanes annexes et rentrèrent dans la maison où ils allumèrent un feu et se mirent à leur aise. Maintenant que les provisions de bouche pour l'hiver étaient à l'abri, on n'avait qu'à attendre le début de la saison des renards. Le Lieutenant Hansen réparait les attelages des chiens, fabriquait des pièges à renard et écoutait avec intérêt tout ce que Valfred avait à raconter. Et Valfred se rendait utile en grillant des biftecks, en distillant de l'eau-de-vie et en parlant de temps révolus. Par moments, il piquait un petit roupillon sur le « quatre-pattes », comme il disait, ce dont il avait bien besoin après son anniversaire et trois semaines de travail épuisant en montagne.

Une bonne semaine après leur retour, alors qu'ils bavardaient tranquillement après le repas, ils entendirent brusquement un crissement du côté de la plinthe, derrière la cuisinière.

Valfred blêmit. Affolé, il regarda le Lieutenant et chuchota :

— Il est là, Hansen.

— Qui ?

— Le rat.

Hansen se leva et se mit à genoux. Il prit le tisonnier et l'enfonça dans le noir sous la cuisinière.

— Il n'y a rien là-dessous, dit-il. Ça devait être un lemming, Valfred, ou quelque chose de ce genre.

— C'est le rat, murmura Valfred.

Il remua nerveusement les pieds sous la table.

— Il n'y a jamais eu de lemming ou de truc comme ça dans cette maison. Pouah! Hansen, j'ose pas dormir cette nuit.

— Balivernes, dit Hansen, il doit y avoir une explication naturelle à ces petits bruits.

— C'est le rat, insista Valfred. Qu'est-ce que je disais, Olsen nous a couillonnés.

— Mais on a tous vu le rat, objecta Hansen, un rat bien vivant du bateau.

— C'en était un autre, répondit Valfred, les dents serrées. Tu me crois pas capable de reconnaître un rat quand je le vois?

Hansen alla chercher la lampe sur la table et balaya tout le sol avec la lumière.

— Y a rien, Valfred, à part un trou derrière la caisse à charbon qui n'y était pas avant.

— Alors il est là-dedans.

Valfred frissonna.

— Il est peut-être ici dans la maison depuis plus d'un mois, Hansen.

— Dans ce cas-là, c'est curieux qu'on ne l'ait pas entendu avant, objecta Hansen.

Valfred hocha la tête.

— Ouais, parce qu'il n'est pas particulièrement discret, dit-il, peut-être qu'il était dans les cabanes annexes depuis notre retour. Tu verras, à tous les coups ce putain de rat a bouffé toutes les friandises qu'on s'est rapportées de la montagne.

Ils sortirent et ouvrirent grandes les portes des cabanes annexes. Il ne leur fallut pas longtemps pour voir qu'effectivement ils avaient eu de la visite. Une partie des perdrix avaient été dévorées et de larges trous faits dans les filets de saumon séchés. Il y avait également de grands trous dans le sac de riz, et tout un côté du sac de farine avait disparu.

Hansen, la lampe à la main, regardait les ravages avec désolation.

— Ce camarade-là sera cher à nourrir tout un hiver, dit-il. Qu'est-ce qu'on fait, Valfred ?

Valfred se gratta la nuque.

— Pour être tout à fait honnête, Hansen, j'ai une telle trouille de ces putains de rats que je n'ose pas rester dans la baraque.

— Mais on peut pas se balader dans la cambrousse tout l'hiver, rétorqua Hansen. On pourrait pas attraper ce lascar et le noyer ?

— Sais pas.

Valfred réfléchissait. Il avait des frissons dans les jambes, et n'appréciait pas de rester dans la cabane annexe, où, à tous les coups, le rat s'était caché et était en train de l'observer.

— Ça doit être une merde pas possible de trouver un voyou comme ça, Hansen, et nous n'avons pas de piège.

— Je peux en fabriquer un, répondit Hansen, une sorte de piège à renard en miniature. Qu'est-ce que t'en penses, Valfred ?

Valfred secoua la tête.

— Alors il faut que tu restes tout seul ici pour le fabriquer, dit-il, parce que moi, je passe pas la nuit là-dedans. Oh là, t'imagines d'avoir un rat dans la couchette... J'ai des boutons partout rien que d'y penser. Eh, non, Hansen, moi je prends la tente d'été et je m'installe dans la nature.

Ils quittèrent la cabane annexe et Hansen éclaira

le grenier, le temps que Valfred prenne la lourde tente et les sacs de couchage en peau de bœuf musqué.

— Dis donc, Valfred, un rat comme ça peut probablement pas vivre ici. Si on ne chauffait pas, tu crois pas qu'il crèverait de froid ?

Valfred lança les sacs de couchage par terre et referma la trappe.

— Il est certainement frileux, dit-il. C'est peut-être pour ça qu'il est venu chercher la chaleur près de la cuisinière.

Hansen ramassa les sacs de couchage et les porta à l'extérieur.

— Si on laisse porte et fenêtres ouvertes, il fera un froid de canard et peut-être qu'il crèvera de froid à la vitesse grand V.

— T'es vraiment pas con, Hansen.

Valfred regarda son compagnon avec admiration.

— C'est ce que j'ai toujours dit. Tu arrives toujours à penser jusqu'au bout des choses, juste avant que je les dise. C'est ça, la solution, Hansen. On s'installe dans la nature en laissant la bestiole crever de froid ici.

Avant de quitter la station, ils firent un courant d'air glacial en laissant tout ouvert, porte, fenêtres, trappe du grenier et clapet de la cuisinière. Ils marchèrent à travers la plaine de Fimbul, montèrent la tente et s'installèrent avec des peaux en guise de matelas et avec leurs sacs de couchage en peau de bœuf musqué. Ils placèrent la caisse à provisions entre eux et posèrent réchaud et lampe dessus. L'ambiance dans la tente devint positivement agréable, et Valfred se promit de ne pas la quitter avant qu'Hansen n'ait trouvé le rat mort.

Ce qui arriva six jours plus tard. Il était rentré

pour remplir le bidon de pétrole et chercher quelques provisions. Il trouva le rat raide mort sous la table. Après avoir allumé la cuisinière, il retourna voir Valfred.

— Ça y est, annonça-t-il, content.

— T'es sûr ?

Valfred sortit la tête du capuchon de son sac de couchage.

— Raide comme un glaçon, l'informa Hansen. Alors lève-toi, Valfred. J'ai allumé la cuisinière et mis de l'eau à chauffer pour le café.

Ils levèrent le camp et retournèrent à la cabane de Fimbul. Valfred toucha le rat du pied.

— Un rat mort est presque aussi répugnant qu'un rat vivant, dit-il. Il y a quelque chose chez les rats que je ne peux pas souffrir. Je ne sais pas ce que c'est, parce qu'ils ne m'ont jamais rien fait.

— C'est pareil pour moi, répondit le Lieutenant. On va le balancer aux chiens.

Valfred secoua la tête.

— C'est malgré tout le premier et, j'espère, le dernier rat du nord-est du Groenland. Il lui faut un enterrement convenable, enfin, j'trouve.

Il prit un seau de glace et versa l'eau du café par-dessus. Une fois la glace ramollie, il ramassa le rat avec le tisonnier et le laissa tomber dans l'eau.

— Voilà, dit-il, satisfait. Maintenant on le pose dans l'entrée et demain il sera congelé.

— Pourquoi faut-il qu'il soit congelé ?

Le Lieutenant regardait son compagnon avec étonnement.

— Parce qu'il faut l'enterrer dans le permafrost. Là-dedans, il se tiendra au frais pour l'éternité, répondit Valfred.

Quand la *Vesle Mari* arriva à Kap Thompson l'été

suivant, il y avait, comme d'habitude, beaucoup de chasseurs rassemblés chez Mads Madsen et William le Noir. Le bateau fut reçu avec joie et Olsen invité à un dîner de fête préparé par le Comte.

La soupe, d'inspiration italienne, et nommée par le Comte *Zuppa Cozze*, était constituée de moules cueillies à marée basse dans la Baie des Narvals, d'oignons secs, de poivre, de citron, ainsi que d'un demi-litre de vin blanc maison du Comte. Pour en faire complètement ressortir le goût raffiné, le cordon-bleu avait rajouté une demi-cuillerée à café de tabac en poudre de Göteborg et deux tiges d'angélique confites. Soupe délicieuse et savoureuse qui transporta d'extase ce gourmand de capitaine. Il rayonnait comme un soleil et félicita le Comte en des tournures quasi poétiques.

— Qu'est-ce qui vient après, Comte ? demanda-t-il, impatient, à l'artiste.

Le Comte le regarda gravement.

— J'avais imaginé un peu de bœuf braisé dans du bouillon et du bas-médoc, avec une garniture de pommes de terre cuites au four.

— Merveilleux ! s'écria Olsen impatient. Je ne peux presque plus attendre.

Le Comte continua à fixer le gros capitaine d'un air sérieux.

— Pour toi, Olsen, j'ai quelque chose de tout à fait particulier, dit-il calmement. Je me suis permis de l'appeler « Tartare Glacier ».

Et l'on apporta le plat de résistance. L'odeur de la viande de bœuf remplissait la petite pièce et faisait saliver l'assemblée. Une assiette remplie par un énorme glaçon fut posée devant Olsen.

— Qu'est-ce que c'est ?

Olsen toqua sur la glace en riant bruyamment.

— Qu'est-ce que t'as encore inventé, Comte?

— Le Tartare Glacier! répéta le Comte.

Olsen regarda la glace. Son sourire se figea et les yeux lui sortirent des orbites. A travers la glace d'eau claire, il vit un rat qui montrait les dents.

Mads Madsen se mit à rire.

— Cette soupe, c'était vraiment idéal pour mettre en appétit, hein, Olsen? Maintenant on est prêt pour attaquer le plat de résistance, pas vrai? Ta casquette et le rat, c'est bien ça que t'avais dit. Et y aura plus de déchargement, ni de peaux, tant que t'auras pas fini ton repas.

Le capitaine était blême, un vrai cadavre. Du regard, il supplia visage après visage, mais ne trouva que des yeux sévères et graves. Seul Valfred sourit de toutes ses fausses dents et lui fit un clin d'œil.

— Commence par la casquette, Olsen, peut-être que la glace aura fondu entre-temps.

Table

Impression réalisée sur Presse Offset par

BRODARD & TAUPIN

GROUPE CPI

La Flèche (Sarthe), 17041
N° d'édition : 2828
Dépôt légal : novembre 1997
Nouveau tirage : février 2003

Imprimé en France